D0765981

ENGELS

Hans Hoogendoorn
Brigitte Kristel

Redactie **ANWB Uitgeverij Boeken/HD**
Postbus 93200
2509 BA Den Haag
buitenlandredactie@anwb.nl

Onze redactie is u bij voorbaat zeer dankbaar voor alle op- en aanmerkingen
en suggesties ter verbetering van de kwaliteit van deze taalgids.

ISBN 90 18 01799 X

Deze uitgave werd met de meeste zorg samengesteld. Een deel van de inhoud is even-
wel het werk van derden. Mocht dat deel onjuistheden bevatten, dan kan de ANWB
daarvoor geen aansprakelijkheid aanvaarden.

Colofon
Productie: ANWB Uitgeverij Boeken
Kaart: Softmap, Utrecht
Ontwerp omslag: Keja Donia, Schiphol-Oost
Ontwerp binnenwerk: PSholland.nl
Illustraties: Hilbert Bolland
Opmaak: PSholland.nl

Hoe gebruikt u deze taalgids?

Er is waarschijnlijk geen genre boeken waarvan het nut zo vaak in twijfel
getrokken is als taalgidsen. Menig conferencier heeft op de planken de
draak gestoken met de naar zijn mening talrijke nutteloze zinnen. De gebrui-
ker lijkt er anders over te denken. Zulke nutteloze zinnen staan er niet in en
veel zinnen die op het oog overbodig lijken, kunnen opeens zeer zinvol zijn
wanneer u onverwacht in een bepaalde situatie terechtkomt. Zelfs zonder
enige voorkennis kunt u zich in veel gevallen toch aardig verstaanbaar
maken. En bent u wel in de taal ingeburgerd, dan blijkt een taalgids een aar-
dige aanvulling op uw studieboeken. Het lijkt ons nuttig dat de zinnen waarmee u een gesprek opent, kort zijn. Van die gedachte zijn we ook uitgegaan
bij het samenstellen van deze serie. Negen van de tien vreemdelingen die u
aanspreekt, zullen u onmiddellijk als buitenlander herkennen en alleen al
daarom verwachten zij niet dat u met prachtige volzinnen aankomt. Kennis
van zo veel mogelijk woorden, zelfstandige of bijvoeglijke naamwoorden
waarmee u uw wensen kenbaar maakt, gaat bij ons boven allerlei toevoe-
gingen die de zinnen onnodig lang maken. U zult zien dat we steeds de
Nederlandse zin (**vet** gezet) laten volgen door de Engelse (in het blauw) en
daarna door een regel waarin we de uitspraak zo goed mogelijk weergeven.
Het grote probleem is natuurlijk het antwoord dat de aangesprokene zal
geven. In veel gidsen heeft de samensteller al meteen een pasklaar antwoord bedacht, maar het zou wel erg toevallig zijn wanneer u nu net dat
voorgebakken antwoord krijgt. Veel van die 'terugpraatzinnen' (herkenbaar
aan het driehoekje dat eraan voorafgaat) zult u in onze taalgids dan ook niet
vinden. Liever geven we een flink aantal woordenlijstjes waarin u vast wel
wat woorden terugvindt die u ook herkent in de waterval van Engelse woorden die over u wordt uitgestort zodra u zelf uitgesproken bent.

Uitspraakregels, woordenlijsten

Deze taalgids is onderverdeeld in een aantal hoofdstukken die even zovele
situaties weergeven die u op reis kunt tegenkomen: de grenscontrole, de
reis door het land, het onderdak, het bezoek aan een bank of postkantoor,
medische en technische hulp, het winkelen, sport en recreatie.
Bij elk onderwerp geven we wat korte achtergrondinformatie en tips,
gevolgd door de eerste zinnen waarmee u het gesprek kunt openen.
De correcte uitspraak weergeven op een voor iedereen begrijpelijke wijze
(dus niet in het maar door weinigen beheerste fonetisch schrift) is erg moei-

lijk. Daar komt nog eens bij dat enkele typische eigenschappen van het Engels moeilijk in letters zijn weer te geven. Het blijft behelpen en u zult merken dat u alleen door goed luisteren de uitspraak echt onder de knie krijgt.

Behalve aan zinnen hebt u natuurlijk ook veel aan lijsten met woorden. Bij elke rubriek treft u wel een aantal woordenlijstjes Nederlands-Engels aan; meestal hebben ze betrekking op een voorafgaande zin. Verder ziet u achter in deze gids een bruikbare algemene woordenlijst, voornamelijk met werkwoorden en bijvoeglijke naamwoorden. Bovendien hebben we een aantal alledaagse woorden en uitdrukkingen (die u eigenlijk uit het hoofd zou moeten leren) bijeengebracht op de achterzijde van het omslag. In omgekeerde richting (Engels-Nederlands) vindt u korte woordenlijstjes achter de 'terugpraatzinnen', een aantal lijsten met opschriften en een flinke lijst met namen van gerechten, steeds weer bij het desbetreffende onderwerp.

Echt Engels leren kunt u met dit gidsje natuurlijk niet. Maar u kunt zich ermee redden in bepaalde aangename en onaangename zaken en u kweekt veel 'goodwill' wanneer u door het leren van wat korte zinnetjes laat merken dat u belangstelling hebt voor de Britten en hun mooie taal.

Inleiding tot het Engels

Het Engels behoort tot de Germaanse talen, een grote groep binnen de Indogermaanse taalfamilie die bijna alle talen van Europa onderdak geeft. Binnen de Germaanse talen zijn er drie subgroepen: de noordelijke (Noors, Nieuwnoors, IJslands, Færøers, Zweeds en Deens), de continentale (Duits en Nederlands en de daarvan afgeleide talen Afrikaans en Jiddisch) en de westelijke (Engels en de drie vormen van het Fries).

De Germaanse taalgroep is ongeveer 2500-2000 voor Christus ontstaan. De grote verspreiding van deze groep kwam pas aan het begin van onze jaartelling als gevolg van de zuidwaartse expansie van de Germanen op gang. Voor die tijd werd Groot-Brittannië gedomineerd door de Kelten, die in de vijfde eeuw voor Christus vanuit Midden-Europa op de Britse eilanden waren gearriveerd. In de periode van 55 v. Chr.-410 na Chr. regeerden hier de Romeinen, die alleen culturele sporen hebben nagelaten en de Keltische taal slechts licht hebben beïnvloed. Tussen de 5de en de 7de eeuw volgde een invasie van Germaanse stammen (Angelen, Saksen, Juten, Friezen). Deze hebben bijna alle Kelten – en daarmee de Keltische taal – naar de minder herbergzame streken van het land verdreven, zoals Wales, Schotland, de Hebriden en zelfs over het Kanaal naar Bretagne. In het uiterste noordwesten van Schotland en op de Hebriden spreekt men nog wel Keltisch (*Gaelic*); in Ierland was het zelfs tot voor kort een verplicht schoolvak, hoewel ook daar alleen in het verlaten noordwesten nog dagelijks Iers-Keltisch te horen is. In Wales wordt nog redelijk veel Kymrisch (*Welsh*) gesproken en

ook in het westen van Bretagne is Bretons-Keltisch een volkstaal gebleven.
Het Germaanse dialect van de immigranten, dat men gewoonlijk
Angelsaksisch of Oudengels noemt, kende rond 700 reeds een geschreven
vorm, dankzij monniken die het schrijven meester waren. Het moet nauw
verwant zijn geweest aan het vroegste Duits, maar is in onze ogen onher-
kenbaar. De Angelsaksen werden gevolgd door Vikingen, die Noord-
Germaanse woorden meebrachten, en ten slotte door de Normandiërs
(Willem de Veroveraar; 1066. Zij introduceerden de Franse taal en cultuur in
Groot-Brittannië. Uit een mengeling van hun Normandische dialect en dat
Angelsaksisch is uiteindelijk het Engels zoals we dat nu kennen ontstaan.
Het Engels dat in de periode vanaf ca. 1100 tot ca. 1500 gesproken en
geschreven werd, noemt men Middelengels. Daarna, rond 1500, is het
Nieuwengels ontstaan.
Het koloniale tijdperk, de massale emigratie van Engelsen en leren en
anderstaligen die het Engels in hun nieuwe vaderland als gemeenschappe-
lijke voertaal gingen gebruiken, de dominante positie van Engeland (en later
de VS) in handel, luchtvaart en scheepvaart – dat alles heeft ervoor gezorgd
dat vooral in de 19de eeuw het Engels zich ontwikkelde tot wereldtaal, zelfs
tot de meest gesproken en begrepen taal. We beperken ons in dit gidsje
echter tot de in Groot-Brittannië gehanteerde standaardtaal: **the Queen's
English**. Ook de aanvullende informatie in dit boekje is uitsluitend op Groot-
Brittannië (en Ierland) gericht.

Enkele taaleigenaardigheden

De Britten gaan zeer zorgvuldig om met hun taal en met de mensen met wie
zij converseren. Bijna nooit zullen zij een rechtstreekse vraag stellen of een
direct antwoord geven. Omzichtig communiceren geldt als een vorm van
goede manieren. Let maar eens op de volgende voorbeelden:
'Ik wil ...' wordt in de praktijk niet I want ... maar een indirect 'Ik zou graag
willen' (I would like to ...). Weet u niet zeker of het antwoord positief zal zijn,
laat dan uw verzoek als volgt beginnen: Could you please ... (Zou u a.u.b.
... kunnen?) of I wonder if ... (Ik vraag mij af of ...).
Op een vraag geeft de Brit niet eenvoudig Yes als antwoord, maar iets in de
trant van I think ... (Ik denk dat ...) en als hij het niet zeker weet: I hope ...
(Ik hoop dat ...) of Hopefully yes (Hopelijk wel). Zo gebruikt hij/zij ook ter-
men als I am afraid ... (Ik ben bang dat ...) of I don't think ... (Ik geloof/denk
niet dat ...) wanneer het antwoord ontkennend is.
De Brit gaat er ook niet zonder meer van uit dat u ergens net zo over denkt
als hij. Vandaar een uitdrukking als You would do that, wouldn't you?
(Dat zou u doen, zou u niet?).

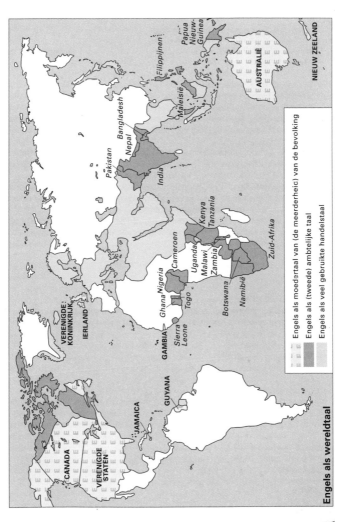

Engels als wereldtaal

Legenda:
- Engels als moedertaal van (de meerderheid) van de bevolking
- Engels als (tweede) ambtelijke taal
- Engels als veel gebruikte handelstaal

Landen op de kaart:
CANADA, VERENIGDE STATEN, VERENIGD KONINKRIJK, IERLAND, JAMAICA, GUYANA, GAMBIA, Sierra Leone, Ghana, Nigeria, Togo, Cameroen, Botswana, Namibië, Zuid-Afrika, Uganda, Malawi, Zambia, Kenya, Tanzania, Pakistan, Nepal, India, Bangladesh, Filippijnen, Maleisië, Papua Nieuw-Guinea, AUSTRALIË, NIEUW ZEELAND

9

Zelfstandige naamwoorden, lidwoorden

Het Engels kent, zoals alle Germaanse talen behalve het Duits, slechts twee geslachten: onzijdig en niet-onzijdig. **Onzijdig** zijn alle niet-levende dingen. In dat opzicht is er dus een verschil met het Nederlands, waarin bijvoorbeeld 'stoel' niet-onzijdig is. Levende wezens zijn altijd **niet-onzijdig**. Er is daarbij geen onderscheid tussen mannelijk en vrouwelijk.

Voor het gebruik van het lidwoord maakt het niets uit of een woord onzijdig of niet-onzijdig is. Men kent, zowel in het enkelvoud als het meervoud, maar één bepaald lidwoord (tegen twee in het Nederlands: 'de' en 'het') en ook maar één onbepaald lidwoord.

Het bepaald lidwoord is **the**, dat wordt uitgesproken als ðe voor woorden die met een medeklinker beginnen en als ie als het daaropvolgende woord met een klinker of een toonloze h begint (zie de uitspraakregels verderop).

Het onbepaald lidwoord is **a**, uitgesproken als uh. Begint het daaropvolgende woord met een klinker of een toonloze h, dan wordt het lidwoord met een n uitgebreid en uitgesproken als un.

the book	**the** actor	**the** hour
a book	**an** actor	**an** hour

Meervoudsvorming

Het meervoud van zelfstandige naamwoorden wordt in de regel gevormd door toevoeging van een **-s** achter het woord, of **-es** (uitspraak: iz) als het woord al op een s of z eindigt:

boy	boy**s**
kiss	kiss**es**
quiz	quiz**es**

Het bijvoeglijk naamwoord

Alle bijvoeglijke naamwoorden behouden hun oorspronkelijke vorm, zowel in het enkelvoud als het meervoud; ook het gebruik van lidwoorden heeft geen verandering tot gevolg. Ze staan, net als in het Nederlands, vóór het zelfstandig naamwoord:

een mooi meisje	a **pretty** girl
het mooie meisje	the **pretty** girl
mooie meisjes	**pretty** girls
de mooie meisjes	the **pretty** girls

Het aanwijzend voornaamwoord

Er zijn twee aanwijzende voornaamwoorden voor het enkelvoud en twee voor het meervoud, afhankelijk van de nabijheid van het aan te wijzen object:

dit boek (hier)	**this** book
deze boeken (hier)	**these** books
dat boek (daar)	**that** book
die boeken (daar)	**those** books

Persoonlijke en bezittelijke voornaamwoorden

Anders dan bij de lidwoorden worden de niet-onzijdige woorden bij het gebruik van persoonlijke en bezittelijke voornaamwoorden wel gesplitst in mannelijke en vrouwelijke. Ook het Engels kent een onderscheid tussen 'hij/zijn' en 'zij/haar', maar nogmaals, dit slaat alleen op levende wezens (al zal een Brit die zijn auto mooi heeft opgepoetst, liefkozend zeggen: **She** looks fine):

	onderwerp	lijdend voorwerp	bezitt. vnw.	predikatief gebruikt
ik	I	me	my	mine
jij	you	you	your	yours
hij	he	him	his	his
zij	she	her	her	hers
het	it	it	its	its
wij	we	us	our	ours
jullie	you	you	your	yours
zij	they	them	their	theirs

Het Engels kent geen afzonderlijke woorden voor 'jij' en 'u' en voor 'jullie' en 'u' (mv). De eerste persoon enkelvoud wordt altijd met een hoofdletter geschreven: **I** (nooit i).

Het bezittelijk voornaamwoord (Dit is mijn fiets - This is **my** bicycle) kan ook predikatief worden gebruikt: Deze fiets is **van mij**, hij is **de mijne** - This bicycle is **mine**, it(!) is **mine**.

Het werkwoord

Het Engelse werkwoord is gemakkelijk te vervoegen. De tegenwoordige tijd bestaat uit de infinitief zonder enige uitgang; alleen in de derde persoon enkelvoud (hij/zij/het) moet er **-s** achter de infinitief geplakt worden:

werken: to work   I/you/we/they work   he/she/it work**s**

U ziet dat het de gewoonte is de infinitief (onbepaalde wijs) te laten voorafgaan door 'to' wanneer hij zelfstandig gebruikt wordt (**To** be or not **to** be - Zijn of niet zijn) of alleen staat (in woordenlijsten bijvoorbeeld).

De verleden tijd van regelmatige werkwoorden wordt gevormd door toevoeging van -(e)d achter de infinitief; de derde persoon enkelvoud krijgt geen -s:

I enter	I enter**ed**	I smile	I smil**ed**
He enters	He enter**ed**	He smiles	He smil**ed**
(binnenkomen)		(glimlachen)	

Enkele belangrijke onregelmatige vormen:

I do	I d**id**	I have	I ha**d**
He does	He di**d**	He has	He ha**d**
(doen)		(hebben)	

Er is een (klein) aantal sterke werkwoorden die in de verleden tijd een klinkerverande-ring krijgen (opstaan: I rise - I rose) of zelfs een totaal andere vorm (kopen: I buy - I b**ought**). We laten ze hier verder buiten beschouwing.

Een belangrijk (hulp)werkwoord dat in al zijn vormen onregelmatig is, is **to be** (zijn):

ik ben	I **am**	ik was	I **was**
jij bent	you **are**	jij was	you **were**
hij/zij is	he/she **is**	hij/zij was	he/she **was**
wij zijn	we **are**	wij waren	we **were**
jullie zijn	you **are**	jullie waren	you **were**
zij zijn	they **are**	zij waren	they **were**

De toekomende tijd van werkwoorden wordt gevormd door toevoeging van het hulp-werkwoord shall (zullen), waarbij de derde persoon geen -s toegevoegd krijgt. Het is ook mogelijk het hulpwerkwoord will (zúllen) te gebruiken; het enige verschil zit in de nadruk die de spreker op de voorgenomen handeling legt. De verleden toekomende tijd wordt gevormd met should resp. would; de eerste vorm wordt meer gebruikt als er sprake is van een advies of verplichting (ook de Engelsen hebben wel eens moeite met de nuance):

ik zal gaan	I shall go	I will go
ik zou gaan	I should go	I would go

Should wordt ook gebruikt bij een bevel of voorschrift: You **should** not do that - Dat mag u niet (doen). Shall/should en will/would kennen beide een verkorte vorm: I'll, you'll; I'd, you'd.

Typisch Engelse hulpwerkwoorden voor de toekomende tijd zijn may en might, waartus-sen een subtiel verschil bestaat:

You should not do that ..., gevolgd door:

a. you **might** fall - je zou wel eens kunnen vallen (kleine kans)

b. you **may** fall - je zult vallen (bijna zeker)

Ontkenning

Een ontkenning wordt gevormd door toevoeging van de hulpwerkwoordsvorm do not (in de derde persoon enkelvoud does not) vóór de infinitief. Er bestaat ook een verkorte vorm don't (doesn't); dit is eigenlijk spreektaal, maar de vorm dringt nu ook tot de schrijftaal door.

Bij het gebruik van een zelfstandig naamwoord wordt ons 'geen' vervangen door 'niet een':

ik spreek	I speak
ik spreek niet	I **do not** (**don't**) speak
hij heeft een auto	he has a car
hij heeft geen auto	he **does not** (**doesn't**) have a car

In het laatste geval kunt u echter ook zeggen: he has **no** car. In de verleden tijd wordt de vorm **did not** (**didn't**) gebruikt.

Deze regels geldt niet bij **to be**: You are not afraid (You aren't afraid) en bij hulpwerkwoorden: You shall/should not (shouldn't), He will/would not (won't/wouldn't), We can/could not (can't/couldn't). De uit het Amerikaans overgewaaide vorm ain't (korte vorm van am not/is not/are not) is de Brit een gruwel, maar vindt steeds meer ingang. Ook to have in de hulpwerkwoordfunctie wordt have/has not: He has not done it.

Aanvoegende wijs

Bevelen en aanbevelingen worden in de ontkennende vorm eveneens gevormd met to do, ditmaal zonder uitzonderingen:
Do not (**Don't**) go! **Do not** (**Don't**) be afraid!

In de positieve vorm gebruikt men geen hulpwerkwoord: Come in, please! Bij een nadrukkelijk, zeer beleefd verzoek gebruikt men wel eens do: **Do** come in, please!

Vragende vorm

Een zin kan vragend gemaakt worden door toevoeging van het hulpwerkwoord **do**:

jij rijdt	you drive	jij rijdt niet	you don't drive
rijd jij?	**do** you drive?	rijd jij niet?	**don't** you drive?/**do** you **not** drive?
reed jij?	**did** you drive?	reed jij niet?	**didn't** you drive?/**did** you **not** drive?

Hiervan is ook een toekomende vorm, die wij in het Nederlands weinig gebruiken: **Will** you drive? (letterlijk: Zul jij rijden? - wij zeggen meestal: Rijd jij?). Zo ook **Would** you drive? (Zou jij rijden?). Een mooie beleefdheidsvorm is: **Shall** I drive? (Zal ik rijden? Wilt u misschien dat ik rijd?).

Zo simpel als de grammatica in wezen is, zo moeilijk is de uitspraak van het Engels. Daarvoor zijn een paar redenen aan te wijzen:

a. Veel (mede)klinkers (a, l, o, p, r, t, v, w) lijken op de Nederlandse, maar er zijn toch subtiele verschillen. De Brit spreekt 'alsof hij een hete aardappel in de mond heeft' en probeer dat verschil met het Nederlands maar eens in gewoon schrift uit te drukken.
b. Voor veel letters geldt dat zij op verschillende manieren kunnen worden uitgesproken. Dat hangt soms af van de functie van het woord: to u**s**e (gebruiken) klinkt als toe joe**z**, maar u**s**e (gebruik, nut) klinkt als joe**s**. Soms heeft het iets te maken met de herkomst; er is bijvoorbeeld verschil tussen **s**uper (**soe**per, van Latijnse oorsprong) en **s**ugar (**sjoe**ghar, Spaans/Portugees van origine). Dan weer wordt de uitspraak beïnvloed door de volgende letter.
c. Het komt nogal eens voor dat letters niet worden uitgesproken. In whistle (fluit) vallen de h, de t en de e weg; het klinkt als wissl (maar met een flink opgeblazen w).

Onder de Engelse zinnen in dit gidsje (en bij woordenlijstjes in de laatste kolom) geven we de Engelse uitspraak zo goed als mogelijk weer. Verder is het een kwestie van goed luisteren en imiteren. Bedenk wel dat Groot-Brittannië veel dialecten kent en dat niemand zich geneert voor zijn Ierse, Schotse of Noordengelse tongval, integendeel. We leren dat dance klinkt als daahns, maar horen op straat dens zeggen, zonder dat een Brit er zich aan stoort.

g wordt dof uitgesproken als een heel zachte 'k', zoals in de naam van De Gaulle. We geven hem weer met de lettercombinatie gh om verwarring met de harde Noord-Nederlandse of zachte Zuid-Nederlandse g te voorkomen. In combinatie met de n is er geen verschil met het Nederlands (ring klinkt als ring).

r de bekende hete aardappel; hij wordt achter in de keel uitgesproken, waarbij de tong wordt opgerold; achter een klinker wordt hij zelfs onhoorbaar doordat de tong achterin de mond omhooggaat en de klinker wordt vanzelf langer; we geven dit weer met [r]; soms zelfs valt de r helemaal weg.

th hebben we op twee manieren weergegeven: ð staat voor de zachte th-klank zoals in het lidwoord the, deze wordt uitgesproken met de vlakke tong tegen de achterkant van de boventanden en is stemhebbend (bijna een z); θ wordt gebruikt voor de andere, scherpere th-klank die het Engels kent, zoals in Thatcher (letterlijk: rietdekker). Deze klank wordt eveneens uitgesproken met de tong tegen de boventanden, maar krijgt nu een sissend effect (bijna een s).

e	wordt kort uitgesproken als in het Nederlandse 'het' of klinkt als ie; de combinatie ee klinkt altijd als ie, maar ea kan zowel ie als ee worden.
u	wordt kort uitgesproken en is vergelijkbaar met de u in het Nederlandse 'hut' die iets te lang naast een 'a' heeft gelegen; in andere gevallen klinkt hij echter als oe of joe.
i	wordt kort uitgesproken als in het Nederlandse 'rit' of als aai (fine = faain)
w	wordt in het Engels wat voller als 'wh' uitgesproken, een beetje als in Surinaams Nederlands.

We zullen het hierbij moeten laten, omdat er nog heel veel uitzonderingen op de regels zijn. Probeer de uitspraak zoals wij die weergegeven hebben zo goed mogelijk na te bootsen. Bedenk daarbij dat de u die we regelmatig gebruiken altijd klinkt als de 'stomme' e in 'de'.

Klemtoon
De lettergreep waarop de klemtoon valt, is in de uitspraakkolom of -regel **vet** gezet. Ook hier doen zich weer verschuivingen voor: vergelijk to **ad**vertise (adverteren) maar eens met ad**ver**tisement (advertentie).

Uitspraak van de letters van het alfabet

A	ee	**N**	en
B	bie	**O**	oo
C	sie	**P**	pie
D	die	**Q**	kjoe
E	ie	**R**	a[r]
F	ef	**S**	es
G	dzjie	**T**	tie
H	eetsj	**U**	joe
I	ai	**V**	vie
J	djee	**W**	**dub**bel joe
K	kee	**X**	eks
L	el	**Y**	waai
M	em	**Z**	zed

Het weer in Saint Tropez?

De ANWB houdt je op de hoogte per SMS

Een weekje Barcelona? Een dagje naar het strand of een weekend naar Londen? Het weer kunnen we niet voor u regelen, maar we informeren u er wél over. Snel en actueel per SMS vanuit ieder land in Europa.

Zo werkt het.

Stuur een SMS-bericht met het woord *weer* en dan de plaats waarover u het weer wilt weten (bijvoorbeeld *weer parijs*) naar het nummer 2692. U krijgt dan binnen enkele seconden het weer terug via een SMS-bericht (€ 0,55 pob).

Tip: Het telefoonnummer 2692 komt overeen met de letter-code ANWB op uw toestel; dus gemakkelijk te onthouden.

Meer over deze dienst en de andere SMS-diensten van de ANWB zoals een handige vertaaldienst vindt u op anwb.nl (zoek op SMS).

Goede reis • ANWB

algemene uitdrukkingen

dagelijkse woorden en zinnen

ja	yes	jes
nee	no	noo
misschien	maybe	**mee**bie
alstublieft (verzoek)	please	pliez
alstublieft (aanreiken)	here you are	he[r] joe a[r]
dank u wel	thank you	θenk joe
hartelijk dank	thank you very much	θenk joe **ver**rie mutsj
geen dank	you're welcome	jo[r] **wel**kum
neemt u mij niet kwalijk	excuse me	iks**kjoez** mie
(als men iemand benadert)		
het spijt mij (na een fout)	I'm so sorry	aim soo **sor**rie
waar?	where?	we[r]
waar is/zijn ...?	where is/are ...?	we[r] iz/a[r] ...
wanneer?	when?	wen
wat?	what?	wot
hoe?	how?	hou
hoeveel?	how much?	hou mutsj
welk(e)?	which?	witsj
wie?	who?	hoe
waarom?	why?	wai
hoe heet dit?	what do you call this?	wot doe joe kol ðis
wat betekent dit?	what does this mean?	wot duz ðis mien
het is ...	it's ...	its ...
het is niet ...	it's not ...	its not ...
er is/er zijn ...	there is/are ...	ðe[r] iz/a[r] ...
er is/zijn geen ...	there is/are no ...	ðe[r] iz/a[r] noo ...
is er een ...?/	is there a ...?/	iz ðe[r] u/
zijn er ...?	are there any ...?	a[r] ðe[r] **en**nie ...
is/zijn er geen ...?	is/are there no ...?	iz/a[r] ðe[r] noo ...

al, reeds	already	ol**red**die
achter (plaats)	behind	bie**haind**
altijd	always	**ol**weez
beneden	down(stairs)*	doun(ste[r]z)
boven (bijwoord)	up(stairs)	up(ste[r]z)
buiten	outside	out**said**
daar	overthere	oovu**ðe[r]**
dadelijk, meteen	at once	et **wans**
dicht bij	near	ne[r]
dan	then	ðen
door	through	θroe
en	and	end
graag	with pleasure	wiθ **ple**zju
hier	here	he[r]
iemand	anyone, somebody**	**en**niewan, **som**boddie
in	in	in
links	(to the) left	(toe ðu) left
met	with	wiθ
na	after	**af**tu
naar	to	toe
naast	next to	nekst toe
niemand	no one, nobody	**noo**wan, **noo**boddie
niet	not	not
nooit	never	**nev**vu
of	or	o[r]
omhoog	up, upstairs*	up, up**ste[r]z**
omlaag	down, downstairs*	doun, doun**ste[r]z**
onder	beneath	bie**nieθ**
op	on top of ...	on **top** uv ...
over	across	u**kros**
rechts	(to the) right	(toe ðu) rait
sinds	since	sins
spoedig	soon	soen

---

* upstairs (letterlijk: de trap op) en downstairs worden gebruikt wanneer men zich
in een gebouw bevindt, up en down in alle andere gevallen

** anybody of anyone wordt vaak gebruikt wanneer men niet zeker weet of het
antwoord positief zal zijn (is there anybody?), somebody wanneer het antwoord
waarschijnlijk positief is (there must be somebody)

thuis	home	hoom
tot	until	un**til**
tijdens	during	**djoe**ring
tussen	between	hie**twien**
van (afkomstig van)	from	from
van (behorend bij)	of	ov
voor	for	fo[r]
zonder	without	wi**ð**out

enkele bijvoeglijke naamwoorden

beter	better	**bett**u
bezet	occupied	**ok**joepaid
dicht	closed	kloosd
dichtbij	close by	**kloos** bai
duur	expensive	ik**spens**iv
gemakkelijk	easy	**ie**zie
goed	good	ghoed
goedkoop	cheap	tsjiep
heerlijk	delicious	die**lis**jus
jong	young	jung
juist	right	rait
koud	cold	koold
langzaam	slow	sloo
leeg	empty	**em**tie
lelijk	ugly	**ugh**lie
licht	light	lait
moeilijk	difficult	**dif**fikkult
mooi	beautiful	**bjoe**tiefoel
nieuw	new	njoe
open	open	**oo**pun
oud	old	oold
slecht	bad	bed
slechter	worse	wu[r]s
snel	quick	kwik
ver	far	fa[r]
verkeerd	wrong	rong
vol	full	foel
vrij	free	frie
warm	warm, hot	wo[r]m, hot
zwaar	heavy	**hev**vie

Ik spreek geen Engels
I don't speak English
ai doont spiek **ing**lisj

Ik spreek maar een beetje Engels
I speak only a little English
ai spiek **oon**lie u **lit**tul **ing**lisj

Ik versta u niet
I don't understand you
ai doont undu**stend** joe

Kunt u wat langzamer praten?
Could you speak more slowly?
koed joe spiek mo[r] **sloo**lie

Kunt u dat nog even herhalen?
Could you repeat that for me?
koed joe rie**piet** ðet fo[r] mie

Spreekt u Duits of Frans?
Do you speak German or French?
doe joe spiek **dzju[r]**mun o[r] frensj

Spreekt hier iemand Duits of Frans?
Does anyone here speak German or French?
Duz **en**niewan he[r] spiek **dzju[r]**mun o[r] frensj

Ik ben buitenlander/buitenlandse
I'm foreign
aim **for**run

Ik ben Nederlander/Nederlandse
I'm Dutch
aim dutsj

Ik ben Belg/Belgische
I'm Belgian
aim **bel**dzjun

Hoe zeg je dit in het Engels?
How do you say this in English?
hou doe joe see ðis in **ing**lisj

Hoe spreek je dit uit?
How do you pronounce this?
hou doe joe pru**nouns** ðis

Dit kan ik niet lezen
I can't read this
ai kant ried ðis

Het gaat mij te snel
It's going too fast for me
its **ghoo**wing toe fast fo[r] mie

Kunt u het spellen/opschrijven?
Could you spell it for me/write it down?
koed joe spel it fo[r] mie/rait it doun

Kunt u dit voor mij vertalen?
Could you translate this for me?
koed joe trens**leet** ðis fo[r] mie

Het Engels is (niet) moeilijk/gemakkelijk
English is (not) difficult/easy
inglisj iz (not) **dif**fikkult/**ie**zie

Goedemorgen	Good morning	ghoed **mo[r]**ning
Goedemiddag	Good afternoon	ghoed aftu**noen**
Goedenavond	Good evening	ghoed **iev**ning
Goedenacht/welterusten	Good night/sleep well	ghoed nait/sliep wel

Welkom	Welcome	**wel**kum
Tot ziens	Good bye	ghoed bai
Tot straks	See you later	sie joe **lee**tu
Tot morgen	See you tomorrow	sie joe toe**mor**roo
Goede reis	Have a pleasant journey	hev u **ples**sunt **dju[r]**nie

begroetingen

Dit is de heer/mevrouw ...
This is Mr/Mrs ...
ðis iz **mis**tu/**mis**siz ...

Hoe maakt u het?
How do you do?
hou doe joe doe?

◄ **Uitstekend, dank u**
Fine, thank you
fain, θenk joe

Aangenaam (kennis te maken)
Nice to meet you
nais toe miet joe

Hallo! Hoe gaat het? (onder vrienden/jongeren)
Hi! How are things going?
hai! hou a[r] θings **ghoo**wing

◄ **Hoe is uw naam?**
What's your name?
wots jo[r] neem

Mijn naam is ...
My name is ...
mai neem iz ...

Dit is mijn ...
This is my ...
ðis iz mai ...

man	husband	**hus**bund
vrouw	wife	waif
zoon	son	sun
dochter	daughter	**do**tu
vader	father	**fa**ðu
moeder	mother	**mo**ðu
vriend/vriendin	friend	frend
vriend/vriendin (liefdesrelatie)	boy-friend/girl-friend	**boj**frend/**ghul**frend

◄ **Waar komt u vandaan?**
Where do you come from?
we[r] doe joe kum frum?

Ik kom uit Nederland/België
I'm from Holland/Belgium
aim frum **hol**lund/**beld**zjum

◄ **Hebt u een goede reis gehad?**
Did you have a pleasant journey?
did joe hev u **ples**sunt **dju[r]**nie?

◄ **Doet u de groeten aan ...**
Give my regards to ...
giv mai ri**ghads** toe ...

◄ **Zal ik u de stad laten zien?**
Shall I show you around town?
sjel ai sjoo joe u**round** toun

◄ **Zullen we vanavond uitgaan?**
Shall we go out tonight?
sjel wie goo out toe**nait**

Ja, dat is leuk/Nee, dank je
Yes, I'd like that/No, thank you
jes, aid laik ðet/noo, θenk joe

◄ **Zal ik je afhalen?**
Shall I pick you up?
sjel ai pik joe up

◄ **Spreken we af voor het hotel/bij de camping?**
Shall we meet in front of the hotel/at the camp site?
sjel wie miet in front ov ðu hoo**tel**/et ðu kemp sait

Ja, om ... uur
Okay, at ... o'clock
oo**kee**, et ... oo**klok**

Laat me met rust!
Leave me alone!
liev mie u**loon**

Daar ben ik niet van gediend
I don't want/like this
ai doont wont/laik ðis

◄ **Mag ik je naar het hotel/de camping brengen?**
May I see you to your hotel/camp site?
mee ai sie joe toe jo[r] hoo**tel**/kemp sait

Woont hier ...?
Does ... live here?
duz ... liv he[r]

◄ **Nee, die is verhuisd**
No, he moved out
noo, hie moevd out

Weet u zijn nieuwe adres?
Do you know his new address?
doe joe noo his njoe u**dres**

◄ **Ja, komt u binnen**
Yes, please come in
jes, pliez kum in

◄ **Hij/Zij is momenteel niet thuis**
He/She is not home right now
hie/sjie is not hoom rait nou

Wanneer komt hij/zij terug?
When will he/she be back?
wen wil hie/sjie bie bek

Kan ik een boodschap achterlaten?
Can I leave a message?
ken ai liev u **mes**sutsj

◄ **Gaat u zitten**
Please sit down
pliez sit doun

Mag ik hier roken?
May I smoke in here?
mee ai smook in he[r]

◄ **Natuurlijk/Liever niet**
Of course, go right ahead/Please don't
of**ko[r]s**, ghoo rait u**hed**/Pliez doont

Engelse etiquette

Engelsen zijn gastvrij en bijna spreekwoordelijk beleefd. Ze zullen niet snel uit hun slof schieten en het is soms moeilijk te doorgronden hoe ze werkelijk over iets denken. De Engelse 'stiff upper lip' (letterlijk 'stijve bovenlip') is welbekend.

Engelsen zullen niet gauw een direct verzoek aan iemand richten (**I want - ik wil**), maar kleden een vraag of verzoek altijd in (**I would like to have - ik zou graag willen**).

ledere vraag of verzoek wordt bovendien besloten met **please** (alstublieft). We hebben dit in de taalgids vanwege de beknoptheid meestal weggelaten, maar schroom niet dit woordje veel te gebruiken. U zult merken dat bedienend personeel bij het aanreiken van bijvoorbeeld uw maaltijd altijd 'thank you' zegt en niet 'here you are'; men dankt u voor het feit dat men u iets mag aanreiken.

Bij het voorstellen wordt de vraag 'Hoe maakt u het' altijd positief beantwoord (zie blz. 21), ook al is er geen enkele reden toe of men negeert de vraag en stelt op zijn beurt de andere partij dezelfde vraag. Elkaar de hand schudden is niet altijd gebruikelijk; wacht maar af wat de 'tegenpartij' doet.

Er wordt geen onderscheid gemaakt tussen 'jij' en 'u', zoals dat in het Nederlands wel gebeurt. Men maakt wel een streng onderscheid tussen getrouwde vrouwen en ongetrouwde: een getrouwde vrouw wordt **Mrs** (**mis**siz; nooit voluit geschreven!) genoemd en een ongetrouwde **Miss** (mis), al is ze 80 jaar!

◄ **Wilt u iets drinken?**
Would you like anything to drink?
woed joe laik **en**nieθing toe drink

Op uw gezondheid!
Here's to your health!
hc[r]s toe jo[r] helθ

Op de uwe!
And to yours!
entoe jo[r]s

◄ **Blijft u eten?**
Will you stay for dinner?
wil joe stee fo[r] **din**nu?

Eet smakelijk
Enjoy your meal
en**djoj** jo[r] miel

Ik moet/We moeten maar weer eens opstappen
I/We should be going
ai/wie sjoed bie **ghoo**wing

Bedankt voor de gastvrijheid/het lekkere eten
Thank you for your hospitality/a lovely meal
θenk joe fo[r] jo[r] hospit**tell**littie/u **lov**lie miel

23

Gefeliciteerd met uw verjaardag
Happy birthday
heppie burθdee

Gefeliciteerd met uw trouwdag
Happy anniversary
Heppie ennievu[r]surrie

Gefeliciteerd ...
Congratulations ...
kongretjoe**lee**sjuns ...

| **met uw huwelijk** | on your marriage | on jo[r] **mer**ridzj |
| **met de geboorte van ...** | on the birth of ... | on ðu burθ ov ... |

Het allerbeste!	All the best!	ol ðu best
Succes!/Veel geluk!	Good luck!	ghoed luk
Sterkte!	Take care!	teek ke[r]
Veel plezier!	Have fun!	hev fun
Van harte beterschap	Get well soon	ghet wel soen

Zie voor de wensen met de feestdagen onder de kop 'Data, seizoenen, (feest)dagen'

telwoorden, rekenen

0	zero*	**zir**ro
1	one	wan
2	two	toe
3	three	θrie
4	four	fo[r]
5	five	faiv
6	six	siks
7	seven	**sev**vun
8	eight	eet
9	nine	nain
10	ten	ten
11	eleven	ie**lev**vun
12	twelve	twelv
13	thirteen	**θu[r]**tien
14	fourteen	**fo[r]**tien
15	fifteen	**fif**tien

* bij uitslagen gebruikt men meestal nil (1-0: one-nil), bij opsommingen van getallen gebruikt men soms o (5005: five-o-o-five)

16	sixteen	**siks**tien
17	seventeen	**sev**vuntien
18	eighteen	**ee**tien
19	nineteen	**nain**tien
20	twenty	**twen**tie
21	twenty-one	twentie**wan**
22	twenty-two	twentie**toe**
30	thirty	**θu[r]**tie
40	forty	**fo[r]**tie
50	fifty	**fif**tie
60	sixty	**siks**tie
70	seventy	**sev**vuntie
80	eighty	**ee**tie
90	ninety	**nain**tie
100	(one) hundred	(wan) **hun**drid
101	a hundred and one	u **hun**drid end wan
123	one hundred and twenty-three	wan **hun**drid end twentie-**θrie**
200	two hundred	toe **hun**drid
500	five hundred	faiv **hun**drid
1000	one thousand	wan **θou**sund
1500	fifteen hundred	**fif**tien **hun**drid
2000	two thousand	toe **θou**sund
10.000**	ten thousand	ten **θou**sund
100.000	hundred thousand	**hun**drid **θou**sund
1.000.000	a million	u **mil**jun

** Waar wij een punt plaatsen, zet de Engelsman een komma en omgekeerd
(Ned. 1.824 = Eng. 1,824 en Eng. 4.56 = Ned. 4,56)!
N.B.: het Engelse billion correspondeert met het Nederlandse miljard, dus niet
met biljoen!

1/2	a half	u hav
1/3	a third	u θu[r]d
1/4	a quarter	u **kwo**tu
3/4	three quarters	θrie **kwo**tus
5%	five per cent	faiv pu[r]**sent**

eerste (1ste)	first (1st)	fu[r]st
tweede (2de)	second (2nd)	**sek**kund
derde (3de)	third (3rd)	θu[r]d
tiende (10de)	tenth (10th)	tenθ
honderdste (100ste)	hundredth (100th)	**hun**driθ

$2 \times 4 = 8$	two times four is eight	toe taimz fo[r] iz eet
$6 : 2 = 3$	six divided by two is three	siks di**vai**dud bai toe iz θrie
$4 + 6 = 10$	four and six is ten	fo[r] end siks iz ten
$8 - 3 = 5$	eight minus three is five	eet **mai**nus θrie iz faiv

Ik ben 25 (jaar oud)
I am twenty-five (years old)
aim **twen**tie faiv (jie[r]z oold)

We zijn met zijn vieren
There are four of us
ðe[r] a[r] fo[r] uv us

de tijd

Hoe laat is het?
What time is it?
wot taim iz it

◄ **Het is ...**
It's ...
its ...

half vier
half past three
hav past θrie

drie uur
three o'clock
θrie oo**klok**

kwart over twee
a quarter past two
u **kwo**tu past toe

vijf voor drie
five to three
faiv toe θrie

vijf over drie
five past three
faiv past θrie

kwart voor vier
quarter to four
u **kwo**tu toe foo

tien voor half vier
twenty past three
twentie past θrie

tien over half vier
twenty to five
twentie toe faiv

15.23 uur
fifteen twenty-three*
fiftien twentie-**θrie**

* Het is in de meeste Engelstalige landen geen gewoonte met 24-uurs tijdsaanduidingen te werken (uitgezonderd bij dienstregelingen). Men rekent in 12 uren: voormiddag (a.m., een afkorting van het Latijnse ante meridiem, uit te spreken als ee-em) en namiddag (p.m., post meridiem, pie-em). De tijdsaanduiding in dit voorbeeld zal dus meestal luiden: 3.23 p.m.

morgen	tomorrow	toe**mor**roo
overmorgen	the day after tomorrow	ðu dee **af**tu toe**mor**roo
gisteren	yesterday	**jes**tuddee
eergisteren	the day before yesterday	ðu dee hi**fo[r] jes**tuddce
overdag	during the day	**djoe**ring ðu dee
's nachts	at night	et nait
's morgens	in the morning	in ðu **mo[r]**ning
's middags	in the afternoon	in ðie aftu**noen**
's avonds	in the evening	in ðu **iev**ning
vanmorgen	this morning	ðis **mo[r]**ning
vanmiddag	this afternoon	ðis aftu**noen**
vanavond	tonight, this evening	toe**nait**, θiz **iev**ning
vannacht (afgelopen)	last night	last nait
vannacht (komend)	tonight	toe**nait**
zomertijd	summer time	**sum**mu taim
plaatselijke tijd	local time	**loo**kul taim
(om) hoe laat ...?	(at) what time ...?	(et) wot taim ...
om ... uur	at ... o'clock	et ... oo**klok**
middernacht	midnight	**mid**nait

De klok/Dit horloge loopt voor/achter
The clock/This watch is fast/slow
ðu klok/θis wotsj iz fast/sloo

2004	two thousand (and) four	toe δousend (end) fo[r]
vorig jaar	last year	last je[r]
volgend jaar	next year	nekst je[r]
voorjaar/lente	spring	spring
zomer	summer	**sum**mu
najaar/herfst	autumn	**o**tum
winter	winter	**win**tu
januari	January	**djen**joewerrie
februari	February	**fe**broewerrie
maart	March	martsj
april	April	**ee**pril
mei	May	mee
juni	June	djoen
juli	July	djoe**laj**
augustus	August	**o**gust
september	September	sep**tem**bu
oktober	October	ok**too**bu
november	November	noo**vem**bu
december	December	die**sem**bu

Welke datum is het vandaag?
What's the date today?
wots ðu deet toe**dee**

Den Haag, 25 mei 2004	The Hague, the 25th of May two thousand (and) four	ðu heegh, ðu twentie**fif0** ov mee toe δousend (end) fo[r]
op 25 mei a.s./j.l.	on next May 25th/ on May 25th last	on nekst mee twentie**fif0**/ on mee twentie**fif0** last
anderhalf jaar	a year and a half	u je[r] end u hav
half jaar	half a year	hav u je[r]
maand	a month	u mun0
2 weken (14 dagen)	two weeks, a fortnight	toe wieks, u **fo[r]t**nait
week	a week	u wiek

Prettige kerstdagen en gelukkig nieuwjaar!
Merry Christmas and a happy New Year!
merrie **kris**mus end u **hep**pie njoe je[r]!

bijzondere Britse feestdagen

Naast de gebruikelijke christelijke feestdagen kent men in Groot-Brittannië een aantal speciale nationale feest- of herdenkingsdagen:

(St.) Valentine's day (14 februari) - dag die langzamerhand ook in Nederland bekend wordt en waarop men anoniem kaarten en geschenken aan geliefden stuurt.

St. Patrick's Day (17 maart) - Ierse feestdag ter ere van deze beschermheilige van Ierland, ook gevierd door Ieren die in het buitenland wonen.

Spring Bank Holiday (laatste maandag in mei) - feestdag die meestal samenvalt met tweede Pinksterdag.

Orangeman's Day (12 juli) - protestantse feestdag in Noord-Ierdland ter herinnering aan de **Battle of the Boyne** (1690).

Summer bank Holiday (laatste maandag van augustus).

Gay Fawkes Day (5 november) - herdenking van de verijdeling van een samenzwering van rooms-katholieken in 1605 om de parlementsgebouwen op te blazen. Deze dag wordt gevierd met vuurwerk en de verbranding van poppen die Guy Fawkes moeten voorstellen, de man die de lont zou aansteken.

The Queen's Official Birthday - de verjaardag van de koningin (eigenlijk 21 april) wordt op een wisselende dag in de eerste week van juni gevierd.

Boxing Day - de eerste weekse dag na Kerstmis, waarop traditioneel de kerstgeschenken worden gegeven.

In Schotland wijken de data van de bank holidays (oorspronkelijk de dagen waarop het bankpersoneel vrij was) soms af.

Nieuwjaar	New Year	njoe je[r]
Driekoningen	Twelfth Day	twelfθ dee
Witte Donderdag	Maundy Thursday	**mon**die **θu[r]z**dee
Goede Vrijdag	Good Friday	goed **frai**dee
Pasen	Easter	**ies**tu
Dag van de Arbeid	Labour Day, May Day	**lee**bu dee, mee dee
Hemelvaartsdag	Ascension Day	u**sens**jun dee
Pinksteren	Whitsuntide	**wit**suntaid
Sacramentsdag	Corpus Christi	**ko**pus **kris**ti
Maria Hemelvaart	Assumption	u**sump**sjun

Allerheiligen	All Saints Day	ol seents dee
Kerstmis	Christmas	**kris**mus
Oudejaarsavond	New Year's Eve	njoe je[r]s iev
zondag	Sunday	**sun**dee
maandag	Monday	**mun**dee
dinsdag	Tuesday	**tjoez**dee
woensdag	Wednesday	**wenz**dee
donderdag	Thursday	**θu[r]z**dee
vrijdag	Friday	**frai**dee
zaterdag	Saturday	**set**tudee
zon- en feestdagen	Sundays and public holidays	**sun**deez end **pub**blik **holl**iedeez
werkdagen	weekdays	**wiek**deez
dagelijks	daily	**dee**lie

het weer

Wat voor weer krijgen we vandaag?
What will the weather be like today?
wot wil ðu **we**θu bie laik toe**dee**

◄ **Het blijft mooi/slecht weer**
The weather will stay fine/poor
ðu **we**θu wil stee fain/po[r]

◄ **Het wordt beter/slechter weer**
The weather will be better/worse
ðu **we**θu wil bie **bet**tu/weurs

◄ **Een temperatuur van 15° (onder nul)**
A temperature of 15 degrees (below zero)
u **tem**prutju ov 15 du**ghries** (bie**loo** zir**roo**)

◄ **Ik heb het weerbericht niet gehoord**
I haven't heard the weather forecast
ai **hev**vunt hu[r]d ðu **we**θu **fo[r]**kast

◄ **We krijgen regen/hagel/sneeuw**
It's going to rain/hail/snow
its **ghoo**wing toe reen/heel/snoo

◄ **Het gaat vriezen/dooien**
It's going to freeze/thaw
its **ghoo**wing toe friez/θo

De lucht betrekt, ...
The sky is clouding over, ...
ðu skai iz **klou**ding **oo**vu, ...

De wind steekt op/gaat liggen
The wind is rising/falling
ðu wind iz **rai**sing/**fol**ling

Het is vandaag warm/koel/drukkend/koud
It's hot/chilly/sultry/cold today
its hot/**tsjil**lie/**sul**trie/koold toe**dee**

De zon schijnt weer/niet, de hemel is onbewolkt/bewolkt
The sun is coming out again/doesn't shine, the sky is clear/clouded
ðu sun is **kum**ing out u**ghen**/**duz**unt sjain, ðu skai is kli[r]/**klou**dud

bliksem	lightning	**lait**ning
donder	thunder	**θun**du
dooi	thaw	θo
gladheid	(black) ice on the road	(blek) ais on ðu rood
hitte	heat	hiet
hogedrukgebied	high pressure zone	hai **pre**sju zoon
klimaat	climate	**klai**mut
lagedrukgebied	depression, cyclone	die**pre**sjun, **sai**kloon
luchtdruk	atmospheric pressure	etmos**fe**rik **pre**sju
mist	fog	fogh
motregen	drizzle	**driz**zul
neerslag	precipitation	prissippi**tee**sjun
noordenwind	northern wind	**no[r]θ**un wind
onbestendig	changeable	**tsjeenz**jubbul
oostenwind	easterly wind	**ies**tullie wind
opklaringen	sunny spells	**sun**nie spels
regenbui	shower	**sjou**wu
regenwolken	storm clouds	sto[r]m klouds
schemering (avond)	twilight, dusk	**twai**lait, dusk
schemering (ochtend)	dawn	dohn
stormwaarschuwing	storm alarm	sto[r]m u**la[r]m**
veranderlijk	variable	**ver**riejubbul
vorst	frost	frost
weersverwachting	weather forecast	**we**θu **fo[r]**kast
westenwind	western wind	**wes**tu[r]n wind
wind	wind	wind

wisselend bewolkt	variable cloudiness	**ver**riejubbul **klou**dienus
wolkbreuk	downpour	**doun**po[r]
ijs	ice	ais
ijzel	glazed frost, glaze ice	ghleezd frost, ghleez ais
zeewind	sea breeze	sie briez
zuidenwind	southern wind	**su**θu[r]n wind

Afwijkende maten en gewichten

Enkele jaren geleden is in Groot-Brittannië definitief het tiendelig stelsel ingevoerd. **Niettemin hanteren veel Britten in het spraakgebruik vaak de oude maten en gewichten, die boven**dien in andere Engelstalige landen (waaronder de Verenigde Staten, Australië en veel andere landen binnen het Britse Gemenebest) nog altijd gangbaar zijn.

Afstanden werden in het oude systeem berekend in *inches* (1 inch = 2,54 cm), *feet* (afgekort: ft.; enkelvoud: foot; 1 foot = 12 inches = 30,48 cm), *yards* (1 yard = 3 ft = 91,44 cm) en *miles* (1 mile = 1,609 km). Gedurende de overgangsfase ziet u op wegwijzers in Groot-Brittannië en Ierland de afstand vaak zowel in kilometers als in miles aangegeven.
Gewichten werden o.m. uitgedrukt in *ounces* (afgekort: oz; 1 ounce = 28,35 gram), *pounds* (afgekort: lbs; 1 pound = 453,6 gram), *stones* (1 stone = 14 lbs = 6,35 kg; vooral gebruikt bij het gewicht van personen).
Inhoudsmaten: de belangrijkste maat was de *gallon* (**ghell**un), waarin nog steeds veel pompbediendes rekenen: 1 gallon = 4,54 liter; in de pub wordt, ondanks de wettelijke maatregel, uw biertje meestal nog geserveerd per *pint* (paaint) ofwel 1/8 gallon (ca. 57 cl); bij kleine dorst bestelt u half a pint (haaf u paaint).
Temperaturen worden al sinds jaren aangegeven in graden Celsius en soms ook nog in de oude eenheid *Fahrenheit;* de omrekeningsformule luidt: °C = 5/9 x (°F min 32) resp. °F = 9/5 x °C plus 32).
Oppervlaktematen berekende men in het oude systeem o.m. in *square miles* (2,59 km^2) en *acres* (4047 km^2).

aan de grens

pascontrole

◀ **Mag ik uw paspoort/autopapieren/groene kaart zien?**
May I see your passport/car documents/green card?
mee ai sie jo[r] **paas**po[r]t/ka[r] **do**kjoemunts/ghrien ka[r]d

Alstublieft   ◀ **Uw pas/visum is verlopen/niet geldig**
Here you are   Your passport/visa has expired/is not valid
he[r] joe a[r]   jo[r] **paas**po[r]t/**vie**zu hez iks**pai**-jud/iz not **vel**lid

◀ **Uw paspoort verloopt binnenkort** ◀ **U heeft een visum/doorreisvisum nodig**
Your passport will soon expire   You need a visa/transit permit
jo[r] **paas**po[r]t wil soen iks**pai**-ju   joe nied u **vie**zu/**tren**sit **pu**mit

Wat kost een visum?   ◀ **Bent u op doorreis?**
How much is a visa?   Are you passing through?
hou mutsj iz u **vie**zu   a[r] joe **paas**sing θroe

◀ **Hoe lang blijft u in Groot-Brittannië?**
How long do you intend to stay in Great Britain?
hou long doe joe in**tend** toe stee in ghreet **brit**tun

opschriften

CUSTOMS	DOUANE
IMMIGRATION	PASCONTROLE
EU CITIZENS	EU-ONDERDANEN
OTHER NATIONALITIES	ANDERE NATIONALITEITEN
NOTHING TO DECLARE	NIETS AAN TE GEVEN
ANYTHING TO DECLARE	AANGIFTE
WAIT HERE PLEASE	HIER WACHTEN A.U.B.
QUEUE HERE	HIER OPSTELLEN
PASSENGER CARS	PERSONENAUTO'S
FREIGHT TRAFFIC	VRACHTVERKEER

◄ **Bent u hier als toerist of voor zaken?**
Are you here for business or pleasure?
a[r] joe he[r] for **biz**nis or **ple**zju

Waar kan ik pasfoto's laten maken?
Where can I have passport photos made?
we[r] ken ai hev **pas**po[r]t **foo**toos meed

◄ **Wilt u dit formulier invullen?**
Would you please fill in this form?
woed joe pliez fil in ðis fo[r]m

◄ **Wilt u hier even wachten?**
Would you please wait here?
woed joe pliez weet he[r]

◄ **Wilt u even meekomen?**
Would you please follow me?
woed joe pliez **fol**loo mie

◄ **U mag ons land niet binnen**
You cannot enter the country
joe **ken**not **en**tu ðu **kun**trie

◄ **Wij moeten u terugsturen**
We must send you back
wie must send joe bek

douane

◄ **Wilt u hier even parkeren/afstappen?**
Would you please pull over/dismount?
woed joe pliez poel **oo**vu/dis**mount**

◄ **Wilt u de kofferruimte openmaken?**
Would you please open the boot?
woed joe pliez **oo**pun ðu boet

◄ **Hebt u iets aan te geven?**
Do you have anything to declare?
doe joe hev **en**nieθing toe die**kle[r]**

◄ **Is deze koffer/rugzak/tas van u?**
Is this your suitcase/rucksack/bag?
iz ðis jo[r] **soet**kees/**ruk**sek/begh

◄ **Wilt u deze koffer openmaken?**
Please open this suitcase
pliez **oo**pun ðis **soet**kees

◄ **U mag dit niet invoeren/uitvoeren**
It's not allowed to import/export this
its not u**loud** toe im**po[r]t**/eks**po[r]t** ðis

◄ **U moet hiervoor invoerrechten betalen**
You have to pay duty on this
joe hev toe pee **djoe**tie on ðis

Hoeveel moet ik betalen?
How much do I owe you?
hou mutsj doe ai oo joe

Waar kan ik betalen?
Where can I pay?
we[r] ken ai pee

◄ **Hebt u een inentingsbewijs voor uw hond/poes?**
Do you have a vaccination certificate for your dog/cat?
doe joe hev u veksi**nee**sjun zeur**tif**ikit fo[r] jo[r] dogh/ket

◄ **Dit nemen wij in beslag**
We'll confiscate this property
wiel **kon**fiskeet ðis **pro**puttie

◄ **U kunt doorrijden/doorlopen**
You may proceed/go through
joe mee pru**sied**/ghoo θroe

34

vervoermiddelen

auto	(motor) car	**(moo**tu) ka[r]
auto met aanhanger	car and trailer	ka[r] end **tree**lu
auto met caravan	car and caravan	ka[r] end **ker**ruven
camper	camper	**kem**pu[r[
vrachtauto	lorry	**lor**rie
truck met container	containerized truck	kun**tee**nurraizd truk
bestelauto	van	ven
minibus	minibus	**min**nibus
motor	motor cycle	**moo**tu **sai**kul
motor met zijspan	sidecar machine	**said**ka[r] mus**jien**
scooter	motor scooter	**moo**tu **skoe**tu
bromfiets	moped	**moo**ped
fiets	bicycle	**bai**sikkul
racefiets	racing cycle	**ree**sing **sai**kul
toerfiets	touring bicycle	**toe**ring **bai**sikkul
tandem	tandem	**ten**dum
damesfiets	lady's bike	**lee**dies baik
herenfiets	gents' bike	dzjents baik
ligfiets	reclining bicycle	rie**klai**ning **bai**sikkul
vouwfiets	folding bike	**fool**ding baik
step	scooter	**skoe**te[r]
kinderfiets	child's bicycle	tsjailds **bai**sikkul
ATB (mountainbike)	mountain bike	**moun**tun baik
vliegtuig	airplane	**e[r]**pleen
boot	boat	boot
autoveerpont	car ferry	ka[r] **fer**rie
rondvaartboot	pleasure boat	**ple**zju boot
(stads)bus	(local) bus	(**loo**kul) bus
touringcar	(motor) coach	(**moo**tu) kootsj
metro	underground, tube	**un**duground, tjoeb
taxi	taxi, cab	**tek**si, keb
groepstaxi	shared taxi	sje[r]d **tek**si
trein	train	treen
koets	carriage, coach	**ker**rudzj, kootsj

Ik wil een auto huren
I'd like to hire a car
aid laik toe **hai**-ju u ka[r]

◄ **Hebt u een voorkeur voor een bepaald merk/type/klasse?**
Which type of car/class do you prefer?
witsj taip uv ka[r]/klaas doe joe prie**fu**

Wat kost dit per dag/week?
How much is it per day/week?
hou mutsj iz it pu dee/wiek

Wat is bij de prijs inbegrepen?
What's included in the price?
wots in**kloe**dud in ðu praiz

all-riskverzekering	comprehensive car insurance	komprie**hen**siv ka[r] in**sjoe**runs
brandstof	fuel	fjoel
tarief per kilometer/mijl	rate per kilometer/mile	reet pu kie**lo**muttu/mail
volle tank	full tank	foel tenk
BTW	VAT (Value Added Tax)	vee-ee-tie

◄ **Mag ik uw rijbewijs zien?**
May I see your driving license?
mee ai sie jo[r] **drai**ving **lai**suns

Hoeveel is de borgsom?
How much is the deposit?
hou mutsj iz ðu die**poz**it

Kan ik voor de borg een creditcard gebruiken?
Can I use a credit card to pay for the deposit?
ken ai joez u **kre**dit ka[r]d toe pee fo[r] ðu de**poz**it

◄ **Hier zijn de sleutels/uw autopapieren**
Here are the keys/your car papers
he[r] a[r] ðu kies/jo[r] ka[r] **pee**pus

Wat voor brandstof gebruikt de auto?
What kind of fuel does the car use?
wot kaind ov **fjoe**wel duz ðu ka[r] joez

◄ **U vindt de auto ...**
The car is standing ...
ðu ka[r] iz **sten**ding ...

◄ **Het kenteken is ...**
The registration number is ...
ðu redzji**stree**sjun **num**bu iz ...

Waar kan ik de auto terugbezorgen?
Where can I return the car?
we[r] ken ai rie**tun** ðu ka[r]

Tot hoe laat is het kantoor open?
What time will the office close?
wot taim wil ðie **of**fis kloos

Hoe kom ik van hier naar ...?
How do I get from here to ...?
hou doe ai ghet from he[r] toe ...

Is dit de weg naar ...?
Is this the way to ...?
iz ðis ðu wee toe ...

Is dat via de snelweg/tolweg?
Do I take the motorway/toll road?
doe ai teek ðu **moo**tuwee/tol rood

Is de weg goed berijdbaar?
Is the road in good condition?
iz ðu rood in ghoed kon**di**sjun

Is er een mooie route naar toe?
Is there a scenic route?
iz ðe[r] u **sie**nik roet

Is de weg vlak of zijn er hellingen?
Is the road flat or hilly?
iz ðu rood flet o[r] **hil**lie

Kan ik er met een caravan/aanhanger over rijden?
Can I drive there with a caravan/trailer?
ken ai draiv ðe[r] wiθ u **ker**ruven/**tree**lu

Is er een fietspad?
Is there a cycle path?
iz ðe[r] u **sai**kul paθ

Kunt u dit op de kaart aanwijzen?
Can you point it out on the map?
ken joe point it out on ðu mep

Ik ben verdwaald
I'am lost
aim lost

◄ **U moet van hieraf ...**
From here you must ...
from he[r] joe must ...

rechtdoor	go straight on	ghoo street on
rechtsaf/linksaf	turn to the right/left	tu[r]n toe ðu rait/left
keren	turn around	tu[r]n u**round**
terugrijden ...	drive back ...	draiv bek ...
naar de snelweg/hoofdweg	to the motorway/main road	toe ðu **moo**tuwee/meen rood
naar de hoofdweg	to the main road	toe ðu meen rood
de stad/dorp uit	leave the town/village	liev ðu toun/**vil**ludzj
de tunnel door	through the tunnel	θroe ðu **tun**nul
de spoorbaan oversteken	cross the railway	kros ðu **reel**wee
langs de rivier	along the river	u**long** ðu **riv**vu
door het bos	through the woods	θroe ðu woeds
bij de verkeerslichten	at the traffic lights	et ðu **tref**fik laits
door het dal	through the valley	θroe ðu **vel**lie
tot de kruising	till the crossing	til ðu **kros**sing
tot de splitsing	till the fork	til ðu fo[r]k
tot de rotonde	till the roundabout	til ðu **round**ubbout

parkeren, bekeuringen

Waar kan ik hier parkeren?
Where can I park?
we[r] ken ai pa[r]k

Is er een parkeergarage?
Is there a (multi-storey) car park?
iz ðe[r] u (multi**stoo**rie) ka[r] pa[r]k

Waar moet ik betalen?
Where can I pay?
we[r] ken ai pee

Is er een parkeerautomaat/parkeermeter?
Is there a ticket machine/parking meter?
iz ðe[r] u **tik**kut mu**sjien**/**pa[r]**king **mie**tu

◀ **U mag hier niet parkeren**
You are not allowed to park here
joe a[r] not u**loud** toe pa[r]k he[r]

◀ **Uw parkeertijd is verstreken**
Your parking time has expired
jo[r] pa[r]king taim hez ik**spai**-jud

◀ **U krijgt een bekeuring wegens ...**
You will be fined for ...
joe wil bie faind fo[r] ...

foutparkeren	unauthorized parking	uno**θ**uraizd **pa[r]**king
te lang parkeren	exceeding the parking limit	ik**sie**ding ðu **pa[r]**king **lim**mit
te snel rijden	speeding	**spie**ding
binnen de bebouwde kom	within the built-up area	wi**θ**in ðu **bilt**-up **er**rie-ju
gevaarlijk rijden	dangerous driving	**deen**dzjurrus **drai**ving
verkeerd oversteken	illegal crossing	il**lie**gul **kros**sing
door geel licht rijden	passing through amber	**pas**sing θroe **em**bu
door rood licht rijden	jumping the lights	**djum**ping ðu laits
geen voorrang verlenen	failing to give right of way	**fee**ling toe ghiv rait ov wee
geen richting aangeven	failing to indicate	**fee**ling toe **in**diekeet
verkeerd inhalen	unauthorized overtaking	uno**θ**uraizd oovu**tee**king
rijden onder invloed	drunken driving	**drun**kun **drai**ving

◀ **U mag hier niet rijden**
You're not allowed to drive here
jo[r] not u**loud** toe draiv he[r]

◀ **De boete bedraagt 20 pond**
The fine is 20 pounds
ðu fain iz **twen**tie pounds

==
opschriften

NO PARKING	PARKEERVERBOD
EXIT	UITRIT
TAKE YOUR PARKING CARD	NEEM HIER UW PARKEERKAART
PAY HERE	HIER BETALEN
ON WEEKDAYS UNTIL 6 PM	WERKDAGEN TOT 18.00 UUR
INSERT ... PER HOUR	INWORP ... PER UUR
CAR PARK FULL	PARKEERTERREIN VOL
PARKING DISC OBLIGATORY	PARKEERSCHIJF VERPLICHT
RESERVED FOR ...	GERESERVEERD VOOR ...
TAXI RANK	TAXISTANDPLAATS

◄ U kunt aan mij betalen
You can pay to me
joe ken pee toe mie

◄ U moet naar het bureau komen
You must come to the office
joe must kom toe ðie **off**is

◄ Ik geef u alleen een waarschuwing
I'll only give you a warning this time
ail **oon**lie ghiv u **wo[r]**ning ðis taim

liften

Mogen we hier liften?
Are we allowed to hitchhike here?
a[r] wie u**loud** toe **hitsj**haik he[r]

◄ Niet langs de snelweg/oprit
Not alongside the motorway/slip road
not u**long**said ðu **moo**towee/slip rood

Kunt u ons meenemen naar ...?
Can you take us to ...?
ken joe teek us toe ...

Zal ik een deel van de onkosten vergoeden?
Shall I pay part of the expenses?
sjel ai pee pa[r]t uv ðie iks**pen**sus

opschriften en aanwijzingen

ALL DIRECTIONS	ALLE RICHTINGEN
ATTENTION	LET OP
BAD ROAD SURFACE	SLECHT WEGDEK
BUILT-IN AREA	BEBOUWDE KOM
CAR PARK (GUARDED)	(BEWAAKTE) PARKEERPLAATS
CATTLE GRID	VEEROOSTER IN WEGDEK
CITY CENTRE	STADSCENTRUM
CLEARWAY	STOPVERBOD
CLOSED TO ALL TRAFFIC	AFGESLOTEN VOOR ALLE VERKEER
CONCEALED DRIVE	SLECHT ZICHTBARE UITRIT
(DANGEROUS) CROSSING	(GEVAARLIJKE) KRUISING
DANGER	GEVAAR
DANGEROUS BEND	GEVAARLIJKE BOCHT
DANGEROUS DESCENT	GEVAARLIJKE AFDALING
DEAD END	DOODLOPENDE WEG
DIVERSION	WEGOMLEGGING
DUAL CARRIAGEWAY	GESCHEIDEN RIJBANEN

END (OF MOTORWAY)	EINDE (AUTOSNELWEG)
EXIT	AFSLAG, AFRIT, UITRIT
FIRST AID	EERSTE HULP
GAME CROSSING	OVERSTEKEND WILD
GIVE WAY	VOORRANG VERLENEN
LEVEL CROSSING	OVERWEG
LORRIES	VRACHTAUTO'S
MOTORWAY (TOLL ROAD)	AUTOSNELWEG (MET TOL)
NO CYCLING	VERBODEN VOOR FIETSERS
NO ENTRY	VERBODEN IN TE RIJDEN
NO OVERTAKING	INHAALVERBOD
NO PARKING	PARKEERVERBOD
NO THOROUGHFARE	DOORGAAND VERKEER GESTREMD
NO TRESPASSING	VERBODEN VOOR ONBEVOEGDEN
NO U-TURN	KEREN VERBODEN
ONCOMING TRAFFIC	TEGENLIGGERS
ONE-WAY TRAFFIC	EENRICHTINGSVERKEER
PARKING	PARKEREN
PASSENGER CARS	PERSONENAUTO'S
PEDESTRIANS	VOETGANGERS
PEDESTRIAN CROSSING	OVERSTEEKPLAATS VOOR VOETGANGERS
PETROL STATION	TANKSTATION
PRIVATE PROPERTY	PRIVÉTERREIN
RAMP AHEAD	DREMPEL, ONEFFENHEID
REDUCE SPEED	SNELHEID VERMINDEREN
RING ROAD	RONDWEG
ROAD (CLOSED)	(AFGESLOTEN) WEG
ROAD NARROWS	WEGVERSMALLING
ROAD WORKS AHEAD	WERK IN UITVOERING
SINGLE LANE	SLECHTS EEN RIJSTROOK BESCHIKBAAR
SLIPPERY/NARROW ROAD	GLADDE/SMALLE WEG
SOFT VERGES	ZACHTE BERMEN
SWITCH ON LIGHTS	LICHTEN ONTSTEKEN
TAILBACK	FILE
THAW	OPDOOI
TRAFFIC INFORMATION	VERKEERSINFORMATIE
TURN LEFT / RIGHT	LINKS(AF) / RECHTS(AF)
(SLOW) TRAFFIC	(LANGZAAM) VERKEER

Wat kost het vervoer van een auto met 2 inzittenden?
How much for a car and two passengers?
hou mutsj fo[r] u ka[r] end toe **pes**sundzjus

Hoe lang duurt de overtocht?
How long does the passage take?
hou long duz ðu **pes**sudzj teek

◄ **U moet de aanwijzingen van de bemanning volgen**
Follow the crew's instructions
folloo ðu kroes in**struk**sjuns

taxi

Kunt u voor mij een taxi bellen?
Could you call a cab for me?
koed joe kol u keb fo[r] mie

Waar is een taxistandplaats?
Is there a taxi rank around?
iz ðe[r] u **tek**si renk u**round**?

Naar de/het ... alstublieft
To the ... please
toe θu ... pliez

vliegveld	airport	**e[r]**po[r]t
station	railway station	**reel**wee **stees**jun
centrum	centre	**sen**tu
Hotel 'Phoenix'	'Phoenix' Hotel	**feu**niks hoo**tel**
museum	museum	mjoe**sie**jum
ziekenhuis	hospital	**hos**pittul

Wilt u mij naar dit adres brengen?
Could you bring me to this address?
koed joe bring mie toe ðis u**dres**

Wat gaat de rit kosten?
How much for the ride?
hou mutsj fo[r] ðu raid

Kunt u mij helpen met de bagage?
Could you help me with my luggage?
koed joe help mie wiθ mai **lugh**ghudzj

Wilt u hier stoppen?
Could you stop here?
koed joe stop he[r]?

◄ **De meter is defect**
The meter is out of order
ðu **mie**tu iz out uv **o[r]**du

◄ **Ik heb geen wisselgeld**
I don't have any change
ai doont hev **en**nie tsjeenzj

Mag ik een kwitantie?
Can I have a receipt?
ken ai hev u rie**siet**

Ik ben wat slecht ter been
I'm not very mobile
aim not **ver**rie **moo**bail

Hoeveel ben ik u schuldig?
How much do I owe you?
hou mutsj doe ai oo joe

Laat maar zitten
Keep the change
kiep ðu tsjeenzj

Bij het tankstation

Kunt u ...?
Could you please ...?
koed joe pliez ...

deze jerrycan vullen	fill this petrol can	fil ðis **pe**trul ken
deze band reparen	repair this tyre	rie**pe[r]** ðis **tai**-ju
deze band verwisselen	change this tyre	tsjeenzj ðis **tai**-ju
de banden oppompen	pump/inflate the tyres	pump/in**fleet** ðu **tai**-jus
de ruiten schoonmaken	clean the windows	klien ðu **win**dooz
de voorruit schoonmaken	clean the windscreen	klien ðu **wind**skrien
een kwitantie geven	give me a receipt	giv mie u rie**siet**
de auto wassen	wash the car	wosj ðu ka[r]
de accu vullen	charge the battery	tsjardzj ðu **bet**rie
de olie verversen	change the oil	tsjeenzj ðie ojl
de bougies verwisselen	change the sparking plugs	tsjeenzj ðu **spa[r]**king plughs
een takelwagen bellen	call a breakdown van/truck	kol u **breek**doun ven/truk

Voltanken/Vijf liter* alstublieft
Fill her up/Five liters please
fil hu up/faiv **li**tu[r]z pliez

* Veel pompbediendes rekenen
nog met de oude inhoudsmaat
gallons (1 gallon = 4,54 liter).

opschriften

UNLEADED 95	EURO LOODVRIJ 95
SUPERUNLEADED 98	SUPER PLUS LOODVRIJ 98
LRP	SUPER MET LOODVERVANGER 98
DIESEL	DIESEL
LPG	LPG
PETROIL/TWO-STROKE MIXTURE	MENGSMERING
AIR	LUCHT
WATER	WATER
SELF-SERVICE	ZELFBEDIENING
CAR WASH	AUTOWASSEN

Heeft u een wegenkaart?
Do you have a road map?
doe joe hev u rood mep

Is hier een toilet aanwezig?
Are there any toilets here?
a[r] ðe[r] **en**nie **toj**luts he[r]

Wilt u de/het ... even nakijken?
Would you please check the ...?
woed joe pliez tsjek θu ...?

bandenspanning	tyre pressure	**tai**-ju **pre**sju
oliepeil	oil level	ojl **lev**vul
remvloeistof	brake fluid	breek **floe**wid
verlichting achter	rear lights	re[r] laits
verlichting vóór	front lights	front laits
waterpeil	water level	**wo**tu **lev**vul

`reparaties`

Waar is een garage (werkplaats)/fietsenmaker?
Where is the nearest garage/bicycle repair shop?
we[r] iz ðu **ne**rust **gher**ridzj/**bai**sikkul rie**pe[r]** sjop

Ik heb een defect aan de/het ...
I have trouble with the ...
ai hev **trub**bul wiθ θu ...

Ik heb een lekke voorband/achterband
I have a flat front/rear tyre
ai hev u flet front/re[r] **tai**-ju

Ik hoor een vreemd geluid
I hear a strange noise
ai he[r] u streensj nois

De wagen wil niet starten
The car won't start
ðu ka[r] woont sta[r]t

De motor raakt oververhit
The engine is overheated
ðie **en**dzjin iz oovu**hie**tud

De accu is leeg
The battery is flat
ðu **bet**rie iz flet

Ik verlies olie/benzine
I am losing oil/petrol
aim **loe**sing ojl/**pe**trul

Kunt u de/het ... repareren/verwisselen?
Could you repair/change the ...?
koed joe rie**pe[r]**/tsjeenzj θu ...

Hebt u de onderdelen in voorraad?
Do you have the parts in stock?
doe joe hev ðu pa[r]ts in stok

Ik kan onderdelen uit Nederland/België laten overkomen
I can have the parts sent in from Holland/Belgium
ai ken hev ðu pa[r]ts sent in from **hol**lund/**bel**dzjum

Wanneer is de auto/motor/fiets weer klaar?
When will the car/motorcycle/bicycle be ready?
wen wil ðu ka[r]/**moo**tusaikul/**bai**sikkul bie **red**die

Tot hoe laat kan ik hem afhalen?
Till what time can I pick it up?
til wot taim ken ai pik it up

Heeft u een idee hoeveel het gaat kosten?
Do you have any idea how much it will be?
doe joe hev **en**nie ai**die** hou mutsj it wil bie?

Ik kom mijn auto/motor/fiets afhalen
I have come to pick up my car/motorcycle/bicycle
aiv kum toe pik up mai ka[r]/**moo**tusaikul/**bai**sikkul

Heeft u het mankement kunnen vinden?
Have you found the defect?
hev joe found ðu **die**fekt

Kan ik betalen met de reis- en kredietbrief?
Can I pay with a traveller's letter of credit?
ken ai pee wiθ u **trev**vullus **let**tu uv **kred**dit

---

aard van de beschadiging

bevroren	frozen	**froo**zun
doorgebrand	burnt-out	burnt-**out**
gebarsten	burst	burst
geblokkeerd	jammed	djemd
gebroken	broken	**broo**kun
klemt	is stuck	iz stuk
lek (van band)	punctured	**punk**tju[r]d
maakt kortsluiting	short-circuits	sjo[r]t-**su[r]**kits
maakt lawaai	makes a noise	meeks u nois
oververhit	overheated	oovu**hie**tud
trilt	vibrates	**vai**breets
verkeerd afgesteld	not properly set/aligned	not **pro**pulie set/u**laind**
verroest	rusty	**rus**tie
versleten	worn out	wo[r]n out
verstopt	blocked, clogged	blokt, kloghd
vuil	dirty	**du[r]**tie

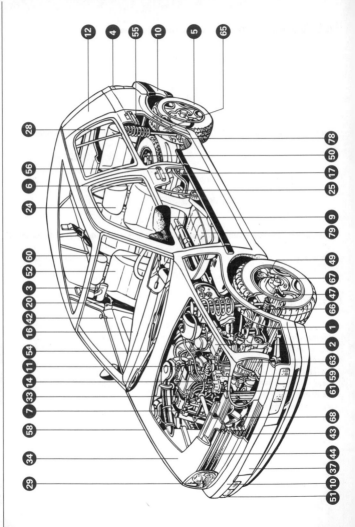

(de met * gemerkte onderdelen staan niet op de tekeningen afgebeeld)

1	**aandrijfas**	drive shaft	draiv sjaaft
2	**accu**	battery	**bet**rie
3	**achteruitkijkspiegel**	inside rear-view mirror	insaid **re[r]**-vjoe **mir**ru
4	**achteruitrijlicht**	reversing light	rie**vu**sing lait
5	**band**	tyre	**tai**-ju
6	**benzinetank**	petrol tank	**pet**rul tenk
7	**bougie**	sparking plug	**spa[r]**king plugh
8	**brandstofleiding**	fuel supply line	fjoel sup**plai** lain
9	**buitenspiegel**	wing mirror	wing **mir**ru
10	**bumper**	bumper	**bum**pu
	voorbumper	front bumper	front **bum**pu
	achterbumper	rear bumper	re[r] **bum**pu
11	**carburateur**	carburettor	kabu**ret**tu
*12	**carrosserie**	coachwork	**kootsj**wu[r]k
*13	**chassis**	chassis	**sjes**sie
*14	**cilinderkop**	cylinder head	**sil**lindu hed
*15	**claxon**	horn	ho[r]n
16	**dashboard**	dashboard	**desj**bo[r]d
17	**deurkruk**	door handle	do[r] **hen**dul
*18	**dimlicht**	dipped beam	dipd biem
*19	**distributieriem**	distribution belt	distri**bjoes**jun belt
20	**driepuntsgordel**	three-point seat-belt	Ɵrie-point **siet**-belt
*21	**drijfstang**	connecting rod	kun**nek**ting rod
22	**dynamo**	dynamo	dai**ne**mo
23	**gaspedaal**	accelerator pedal	ek**sel**lureetu **ped**dul
24	**hoofdsteun**	headrest	**hed**rest
25	**katalysator**	catalyst	**ke**telist
26	**koelwaterleiding**	cooling water pipe	**koe**ling **wo**tu paip
*27	**kofferdeksel**	boot lid	boet lid
28	**kofferruimte**	boot	boet
29	**koplamp**	headlight	**hed**lait
30	**koppelingspedaal**	clutch pedal	klutsj **ped**dul
*31	**krukas**	crankshaft	**krenk**sjaft
*32	**lager**	bearing	**be**ring
33	**motorblok**		
34	**motorkap**	bonnet	**bon**nut
35	**motorophanging**	engine mounting	**en**dzjin **moun**ting
*36	**nokkenas**	camshaft	**kem**sjaft

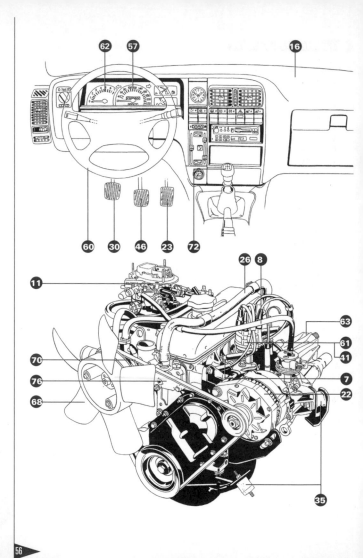

37	**nummerplaat**	number/license plate	**num**bu[r]/**lai**sens pleet
*38	**oliefilter**	oil filter	ojl **fil**tu
*39	**olieleiding**	oil pipe	ojl paip
*40	**oliepomp**	oil pump	ojl pump
*41	**ontsteking**	ignition	ik**ni**sjun
42	**portier**	car door	ka[r] do[r]
43	**radiator**	radiator	**ree**diejeetu
44	**radiatorgrill**	radiator grill	**ree**diejeetu ghril
*45	**reflector**	reflector	rie**flek**tu
46	**rem(pedaal)**	brake (pedal)	breek (**ped**dul)
47	**remklauw**	brake caliper	breek **ke**lipu[r]
48	**remlicht**	brake light, stoplight	breek lait, **stop**lait
49	**remschijf**	brake disc	breek disk
50	**reservewiel**	spare wheel	spe[r] wiel
51	**richtingaanwijzer**	indicator light	**in**diekeetu lait
52	**rugleuning**	backrest	**bek**rest
53	**ruit**	window	**win**doo
	voorruit	windscreen	**wind**skrien
	zijruit	side window	said **win**doo
	achterruit	rear window	re[r] **win**doo
54	**ruitenwisser**	windscreen wiper	**wind**skrien **wai**pu
55	**schokdemper**	shock absorber	sjok up**so**bu
56	**slot**	lock	lok
57	**snelheidsmeter**	speedometer	**spie**domietu
58	**spatbord**	wing	wing
59	**startmotor**	starter	**sta[r]**tu[r]
60	**stuurwiel**	steering wheel	**ste**ring wiel
61	**stroomverdeler**	ignition distibutor	ik**ni**sjun di**stri**bjoetu
62	**toerenteller**	rev counter	rev **koun**tu[r]
63	**transmissie**	gearing	**ghe**ring
*64	**uitlaatklep**	exhaust valve	ik**zost** velv
65	**uitlaat**	exhaust	ik**zost**
66	**veerpoot**	strut unit	strut **joe**nit
67	**velg**	rim	rim
68	**ventilator**	fan	fen
*69	**ventilatorkoppeling**	fan clutch for viscous drive	fen klutsj fo[r] **vis**kus draiv
70	**ventilatorriem**	fan belt	fen belt
*71	**vering**	suspension	sus**pen**sjun
72	**versnelling(shandle)**	gear lever	ghe[r] **lev**vu
*73	**versnellingsbak**	(multi-speed) gearbox	(**mul**tiespied) **ghe[r]**boks
*74	**vliegwiel**	flywheel	**flai**wiel

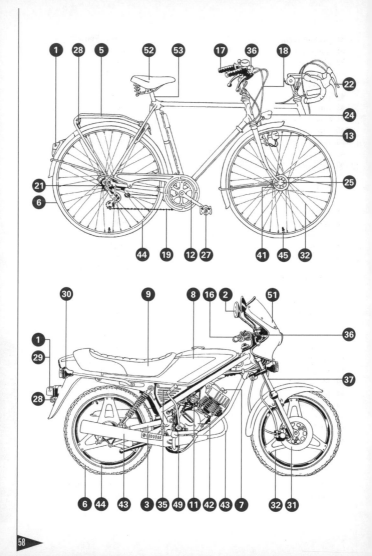

*75	**voorruitverwarming**	defroster vent	die**fros**tu vent
76	**waterpomp**	water pump	**wo**tu pump
77	**wiel**	wheel	wiel
	voorwiel	front wheel	front wiel
	achterwiel	rear wheel	re[r] wiel
78	**wielophanging**	wheel suspension	wiel sus**pen**sjun
79	**zitting**	seat	siet
	voorzitting	front seats	front siets
	achterzitting	rear seats	re[r] siets
*80	**zuiger**	piston	**pis**tun

onderdelen van de (motor)fiets

(de met * gemerkte onderdelen staan niet op de tekeningen afgebeeld)

1	**achterlicht**	rear light	re[r] lait
2	**achteruitkijkspiegel**	rear-view mirror	**re[r]**-vjoe **mir**ru
3	**achtervork**	rear fork	re[r] fo[r]k
4	**as**	axle	**eks**ul
5	**bagagedrager**	(luggage) carrier	(**lugh**ghudzj) **ker**rie-ju
6	**band**	tyre	**tai**-ju
	voorband	front tyre	front **tai**-ju
	achterband	rear tyre	re[r] **tai**-ju
	binnenband	(inner) tube	(**in**nu) tjoeb
	buitenband	tyre	**tai**-ju
7	**bougie**	spark plug	spa[r]k plugh
8	**brandstoftank**	fuel tank	fjoel tenk
9	**buddyseat**	racing-style twin seat	**ree**sing-stail twin siet
10	**buisframe**	tubular frame	**tjoe**bulu freem
11	**carburator**	carburettor	ka[r]bu**ret**tu
12	**crank**	pedal crank	**ped**dul krenk
13	**dynamo**	dynamo	**dai**numoo
14	**fietspomp**	bicycle pump	**bai**sikkul pump
15	**fietsslot**	bicycle lock	**bai**sikkul lok
16	**gashandel**	throttle twist grip	**Ө**rottul twist grip
17	**handvaten**	handlebars	**hen**dulba[r]s
18	**kabel**	cable	**kee**bul
	gaskabel	throttle cable	**Ө**rottul **kee**bul
	remkabel	throttle cable	breek **kee**bul
	versnellingskabel	gear cable	ghe[r] **kee**bul
19	**ketting**	chain	tsjeen
20	**kettingkast**	chain guard	tsjeen gha[r]d

21 **kettingwiel**	chain wheel	tsjeen wiel
22 **knijprem**	hand brake	hend breek
*23 **kogellager**	ball race	bol rees
24 **koplamp**	headlamp	**hed**lemp
25 **naaf**	hub	hub
*26 **olietank**	oil tank	ojl tenk
27 **pedaal**	pedal	**ped**dul
28 **reflector**	reflector	rie**flek**tu
29 **remlicht**	tail light	teel lait
30 **richtingaanwijzer**	indicator (light)	**in**diekeetu (lait)
31 **schijfrem**	disc brake	disk breek
32 **spaak**	spoke	spook
33 **spatbord**	mudguard	**mud**gha[r]d
34 **standaard**	kick stand	kik stend
35 **starter**	starter	**sta[r]**tu
36 **stuur**	handlebars	**hen**dulba[r]s
37 **telescoopvork**	telescopic shock absorber	telli**skop**pik sjok up**so[r]**bu
*39 **terugtraprem**	back-pedal brake	**bek**-peddul breek
*40 **toerenteller**	rev counter	rev **koun**tu
41 **trommelrem**	drum brake	drum breek
42 **tweetaktmotor**	two-stroke engine	**toe**estrook **en**dzjin
43 **uitlaat**	exhaust	ik**zost**
44 **velg**	rim	rim
45 **ventiel(slang)**	valve (tube)	velv (tjoeb)
46 **versnelling**	gear-change, gear shift	ghe[r] tsjeenzj, ghe[r] sjift
*47 **viertaktmotor**	four-stroke engine	**fo[r]**-strook **en**dzjin
48 **vleugelmoer**	wing/butterfly nut	wing/**but**tuflai nut
49 **voetsteun**	footrest	**foet**rest
50 **wiel**	wheel	wiel
voorwiel	front wheel	front wiel
achterwiel	rear wheel	re[r] wiel
51 **windscherm**	windscreen	**wind**skrien
52 **zadel**	bicycle saddle	**bai**sikkul **sed**dul
53 **zadelpen**	seat pillar	siet **pil**lu

een ongeval op de weg

(zie ook 'Problemen in de stad' en 'Medische hulp')

Er is een ongeluk gebeurd!
There has been an accident!
ðe[r] hez bien un **ek**sident

Er zijn (geen) gewonden
There are (no) casualties
ðe[r] a[r] (noo) **ke**sjoelties

Er is alleen materiële schade
There is only material damage
ðe[r]z **oon**lie mut**tee**riejul **dem**mudzj

Waarschuw de politie/een ambulance
Call the police/an ambulance
kol ðu poo**lies**/un **em**bjoeluns

Kan ik hier de politie bellen?
May I please call the police?
mee ai pliez kol ðu po**lies**

Raak hem/haar niet aan
Don't touch him/her
doont tutsj him/hu

Wacht op een dokter/ambulance
Wait for the doctor/ambulance
weet fo[r] ðu **dok**tu/**em**bjoeluns

◄ **Wie is de bestuurder?**
Who is the driver?
hoez ðu **drai**vu

◄ **Mag ik uw rijbewijs/verzekeringspapieren zien?**
May I see your driving license/insurance papers?
mee ai sie jo[r] **drai**ving **lai**suns/in**sjoe**runs **pee**pus

◄ **Ik moet een proces-verbaal opmaken**
I'll have to book you
ail hev toe boek joe

◄ **Zijn er getuigen?**
Are there any witnesses?
a[r] ðe[r] **en**nie **wit**nussus

De ander heeft een fout gemaakt
The other party made a mistake
ðie **ad**du **pa[r]**tie meed u mis**teek**

◄ **U hebt (geen) schuld aan dit ongeval**
You are (not) to blame for this accident
joe a[r] (not) toe bleem fo[r] ðis **ek**sident

◄ **U hebt/bent ...**
You have ...
joe hev ...

door rood licht gereden	jumped the lights	djumpt ðu laits
geen voorrang verleend	failed to give way	feeld toe ghiv wee
onjuist ingehaald	incorrectly overtaken	inkur**rekt**lie ovu**tee**kun
te snel gereden	been speeding	bien **spie**ding
verkeerd ingevoegd	cut in	kut in

◄ U krijgt hiervoor een bekeuring
You will be fined for this
joe wil bie faind fo[r] ðis

◄ U moet even mee naar het bureau
You'll have to come to the office
joel hev toe kum toe ðie **off**is

◄ U moet een bloedproef laten afnemen
You will have to undergo a blood test
joe wil hev toe unde[r]**gho** u blud test

◄ U mag niet verder rijden/U mag verder rijden
You are not allowed to drive on/You may drive on
joe a[r] not u**loud** toe draiv on/joe mee draiv on

◄ Uw auto wordt voor controle in beslag genomen
Your car will be confiscated for inspection
jo[r] ka[r] wil bie **kon**fiskeetud fo[r] in**spek**sjun

◄ U kunt de zaak onderling schikken
You can settle the matter amicably
joe ken **set**tul ðu **met**tu **em**mikublie

Ik wil graag uw gegevens voor de verzekering
I would like to have your details for insurance purposes
ai woed laik toe hev jo[r] **die**teels fo[r] in**sjoe**runs **pu**pussus

◄ Wilt u dit tekenen?	**Ik kan dit niet lezen**
Would you sign here?	I can't read this
woed joe sain he[r]	ai kan ried ðis

WA-verzekering	third-party insurance	θ**u[r]d**-partie in**sjoe**rens
all-riskverzekering	comprehensive insurance	komprie**hen**siv in**sjoe**rens
wegenwacht	road patrol	rood pu**trool**
praatpaal	emergency telephone	ie**mu[r]**dzjensi **te**lefoon

onderdak in Groot-Brittannië en Ierland

In beide landen heeft u een ruime keus uit verschillende vormen van onderdak. Naast de bekende hotels en motels zijn er de goedkopere familiehotels en pensions. Dé **country hotels** (plattelandshotels) zitten qua prijs tussen deze twee categorieën in. Verder kunt u soms (maar lang niet altijd) ook logeren in een traditionele **inn** of dorpsherberg. In vroegere tijden was een inn de plaats bij uitstek voor reizigers om hun reis te onderbreken voor een maaltijd en een goede nachtrust. De inns zijn herkenbaar aan de vaak fraaie uithangborden. In de duurdere prijsklasse vindt u de tot hotels verbouwde kastelen en landhuizen (**manor houses**). Wanneer u graag in contact wilt komen met de plaatselijke bevolking, zijn de **guesthouses** (kleine, particuliere pensions) en farmhouses (boerderijen) een goede keus. Ook kunt u soms bij particulieren overnachten. Deze laatste vorm van accommodatie heet **bed and breakfast** en houdt in dat u een meestal zeer gerieflijk ingerichte kamer bij iemand thuis krijgt. Doorgaans zijn er niet meer dan drie of vier kamers per huis voor gasten beschikbaar, dus reserveren is geen overdaad. 's Morgens wordt u onthaald op een heerlijk **home-made breakfast** (zie ook het hoofdstuk over eten en drinken). Deze huizen zijn herkenbaar aan het bordje **B&B** voor het raam. Wanneer u meer zelfstandigheid wilt, kunt u ook een vakantiehuisje (**cottages and chalets**) of een appartement (**self-catering apartment**) huren. De kampeerders onder u kunnen uiteraard terecht op de vele campings. Verder vindt u nog een zeer groot aantal jeugdherbergen in Groot-Brittannië, waar deze vorm van accommodatie veel gebruikelijker is dan in Nederland en waar bijvoorbeeld ook veel oudere mensen logeren.

Waar is hotel 'Phoenix'?
Where is the 'Phoenix' Hotel?
we[r] iz ðu **fie**niks hoo**tel**

Is hier in de buurt een hotel/pension?
Is there a hotel/guesthouse around?
iz ðe[r] u hoo**tel**/**ghest**hous u**round**

Is hier in de buurt een camping?
Is there a camp site near here?
iz [e[r] u **kem**p sait ne[r] **he**[r]

Waar ligt de camping 'Seaview'?
Where is the 'Seaview' camp site?
we[r] iz ðu **sie**vjoe **kem**p sait

Kunt u het op de kaart aanwijzen?
Can you show me on the map please?
ken joe **sjo** mie on ðu **mep** pliez

Kunnen we hier bij een boer kamperen?
May we camp at a farm?
mee wie **kem**p et u **fa**[r]m

Waar is het VVV-kantoor?
Where is the Tourist Information?
we[r] iz ðu **toe**rist info**mee**sjun?

Ik heb een kamer gereserveerd
I have a room reservation
ai hev u roem rezzu**vee**sjun

◄ **Hebt u een voucher/reserveringsbevestiging?**
Do you have a voucher/confirmation?
doe joe hev u **vout**sju/konfu**mee**sjun?

Mijn naam is ...
My name is ...
mai neem iz ...

Heeft u nog kamers vrij?
Are there any vacancies?
a[r] ðe[r] **en**nie **vee**kunsies

◄ **Nee, het hotel is volgeboekt**
No, the hotel is fully booked
noo, ðu hoo**tel** iz **foe**lie boekt

Ik wil graag een ...
I'd like to have a ...
aid laik toe hev u ...

eenpersoonskamer	single room	**sin**ghul roem
tweepersoonskamer	double room	**dub**bul roem
appartement	apartment	u**pa**[r]tmunt
met bad	with a bath	wiθ u ba θ
met douche	with a shower	wiθ u **sjou**wu
met toilet	with a toilet	wiθ u **toj**lut
met stromend water	with running water	wiθ **run**ning **wo**tu
met kitchenette	with a kitchenette	wiθ u kitsjun**net**
met tweepersoonsbed	with a double bed	wiθ u **dub**bul bed
met lits-jumeaux	with twin beds	wiθ twin beds

met een extra bed	with an extra bed	wiθ un **eks**tra bed
met een kinderbedje	with a cot	wiθ u kot
met airconditioning	with air conditioning	wiθ e[r] kun**di**sjunning
met telefoon	with a telephone	wiθ u **tel**lufoon
met radio	with a radio	wiθ u **ree**diejoo
met televisie	with a television	wiθ u **tel**livizjun
met balkon	with a balcony	wiθ u **bel**kunnie
met terras	with a terrace	wiθ u **ter**rus
met zeezicht	overlooking/	**oo**vuloeking/
	with a view of the sea	wiθ u vjoe uv ðu sie
aan de straatzijde	facing the street	**fee**sing ðu striet
aan de achterzijde	at the back	et ðu bek
op de begane grond	on the ground floor	on ðu ghround flo[r]
op een lage verdieping	on a low floor	on u loo flo[r]
op een hoge verdieping	on a high floor	on u hai flo[r]
met minibar	with a minibar	wiθ u **mi**niba[r]

Ik wil graag ...
I'd like to have ...
aid laik toe hev ...

alleen logies	accommodation only	ukkommu**dee**sjun **oon**lie
logies en ontbijt	bed and breakfast	bed und **brek**fust
half pension	half board	haf bo[r]d
volledig pension	full board	foel bo[r]d

Hoeveel kost de kamer ...?
How much is the room ...?
hou mutsj iz ðu roem ...?

per nacht/week	a night/week	u nait/wiek
per 2 weken	a fortnight	u **fo[r]t**nait

Ik blijf/We blijven alleen deze nacht/... nachten
I/We will be staying for only one night/... nights
ai/wie wil bie **stee**jing fo[r] **oon**lie wan nait/... naits

Ik weet nog niet hoe lang we zullen blijven
I don't know yet how long we will be staying
ai doont noo jet hou long wie wil bie **stee**jing

Kan ik betalen met een creditcard?
Can I pay with a creditcard?
ken ai pee wiθ u **kred**dit ka[r]d

RECEPTION	RECEPTIE
KEY RACK	SLEUTELBORD
CASHIER	KASSIER
BREAKFAST ROOM	ONTBIJTZAAL
RESTAURANT	RESTAURANT
ADMINISTRATION	ADMINISTRATIE
LADIES	DAMES
GENTS	HEREN
HAIRDRESSER	KAPPER
TRAVEL AGENCY	REISBUREAU
LIFT/ELEVATOR	LIFT

Moet ik een aantal nachten vooruit betalen?
Do I have to pay some nights in advance?
doe ai hev toe pee som naits in ed**vans**

◄ **Wilt u dit formulier invullen?**
Would you please fill in this form?
woed joe pliez fil in ðis fo[r]m

◄ **Uw kamernummer is ...**
Your room number is ...
jo[r] roem **num**bu iz ...

◄ **U kunt vanaf ... uur op uw kamer terecht**
Your room will be ready at ... o'clock
jo[r] roem wil bie **red**die et ... oo**klok**

◄ **Het is op de ... verdieping**
It's on the ... floor
its on θu ... flo[r]

Kan iemand mij met mijn bagage helpen?
Can anybody help me with my luggage?
ken **en**nieboddie help mie wiθ mai **lugh**ghudzj

◄ **Uw bagage wordt gebracht**
Your luggage will be brought to your room
jo[r] **lugh**ghudzj wil bie brot toe jo[r] roem

◄ **Mag ik uw paspoort hebben?**
May I have your passport?
mee ai hev jo[r] **pas**po[r]t

◄ **De kamer is helaas nog niet vrij**
Unfortunately, your room is not ready yet
un**fo[r]t**joenutlie, jo[r] roem iz not **red**die jet

◄ **Hier is uw sleutel**
Here is your key
he[r]z jo[r] kie

◄ **Daar vindt u de lift**
The lift is over there
ðu lift iz **oo**vu ðe[r]

Om hoe laat kan ik ontbijten?
At what time is breakfast being served?
et wot taim iz **brek**fast **bie**jing su[r]vd

Waar wordt het ontbijt geserveerd?
Where will breakfast be served?
we[r] wil **brek**fust bie su[r]vd

Mag ik mijn sleutel hebben? Nummer ...
Could I have my key? Number ...
koed ai hev mai kie? **num**bu ...

Ik wil uitchecken
I would like to check out
ai woed laik toe tsjek out

Wilt u de rekening voor mij opmaken?
Could I have the bill, please?
koed ai hev ðu bil, pliez

Wilt u de rekening sturen naar dit adres?
Could you send the bill to this address?
koed joe send ðu bil tue ðis u**dres**

gehandicapten

Is er een rolstoelingang?
Is there an entrance for wheelchairs?
iz ðe[r] un **en**truns fo[r] **wiel**tsje[r]z

Ik ben ...
I am ...
ai em

lichamelijk/verstandelijk gehandicapt	phisically/mentally handicapped	**fi**zikellie/**men**tellie **hen**dikepd
slechthorend	hard of hearing	ha[r]d of **hie**ring
slechtziend	partially sighted	**pa[r]**sjallie **sai**ted
afhankelijk van een rolstoel	depending on a wheelchair	die**pen**ding on u **wiel**tsje[r]
epileptisch	epileptic	epi**lep**tik

Ik heb ...
I have ...
ai hev

| **ME/een vermoeidheids- ziekte** | ME/fatigue symptoms | em-**ie**/fu**tiegh simp**tumz |
| **RSI** | RSI (Repetitive Strain Injury) | a[r]-es-**ai** (rie**pe**titiv streen **in**djurie) |

Wilt u alstublieft wat langzamer/duidelijker praten?
Would you please speak a bit slower/louder?
woed joe pliez spiek u bit **slo**wu[r]/**lou**du[r]

Is dit gebouw rolstoeltoegankelijk?
Is this building accessible to wheelchairs?
iz ðiz **bil**ding ek**ses**sibul toe **wiel**tsjerz

Wilt u de deur alstublieft voor mij open houden?
Would you please hold the door open for me?
woed joe pliez hoold ðu doo[r] **o**pun fo[r] mie

Wilt u ... even voor mij pakken?
Would you please get me ...?
woed joe pliez ghet mie ...

Waar is de dichtstbijzijnde lift?
Where is the nearest elevator?
wer iz ðe **nie**rest **el**levetu[r]

Is er een invalidentoilet/-wasruimte?
Is there a toilet/bathroom for disabled people?
iz ðer u **toj**let/**baa**θroem fo[r] dis**e**buld **pie**pul

De deur is te smal
The door is too narrow
ðu doo[r] iz toe **ner**roow

aanwijzen	point	pojnt
invalidenvignet	logo for disabled persons	**lo**gho fo[r] dis**ee**buld **pur**sunz
parkeerplaats voor invaliden	parking for the disabled	**pa[r]**king fo[r] ðu dis**ee**buld
gelijkvloers	ground level	ghround **le**vul
blindengeleidehond	guide dog	ghaid dogh
automatische deur	automatic door	ohto**me**tik doo[r]
(rolstoel) oprit	ramp for a wheelchair	remp fo[r] u **wiel**tsje[r]
helling	ramp/slope	remp/sloop
trap	stairs	sterz

inlichtingen, service, klachten

Waar kan ik de auto parkeren?
Where can I park my car?
we[r] ken ai pa[r]k mai ka[r]

◀ **We hebben een eigen parkeerterrein/garage**
We have our own car park
wie hev **ou**wu oon ka[r] pa[r]k

◀ **Dat kost u ... pond extra per dag**
That will cost an extra ... pounds a day
ðet wil kost un **eks**tru ... pounds u dee

Heeft het hotel een eigen restaurant?
Does the hotel have its own restaurant?
duz ðu hoo**tel** hev its oon **res**trunt

Kunt u een goed/goedkoop restaurant aanbevelen?
Can you recommend a good/cheap restaurant?
ken joe rekkum**mend** u ghoed/tsjiep **res**trunt

Kunt u voor ons een tafel reserveren?
Can you book a table for us?
ken joe boek u **tee**bul fo[r] us

Kan ik gebruik maken van de roomservice?
Can I use room service?
ken ai joez roem **su**vis

Heeft u een plattegrond van de stad?
Do you have a map of the town?
doe joe hev u mep uv ðu toun

Heeft u een evenementenlijst?
Do you have a list of events?
doe joe hev u list uv ie**vents**

Kunt u plaatskaarten reserveren?
Can you reserve tickets for us?
ken joe rie**zuv tik**kuts fo[r] us

Kan ik boeken voor een excursie?
Can I book an excursion?
ken ai boek un eks**ku**sjun

Kunt u voor mij een taxi bestellen?
Could you order a taxi for me?
koed joe **o[r]**du u **tek**si fo[r] mie

Ik wil graag een telefoongesprek met ...
I would like to make a phone call to ...
ai woed laik toe meek u foon kol toe ...

Ik wil graag een buitenlijn
I would like an outside line
ai woed laik un **out**said lain

Wilt u mij morgen wekken om ...?
Could you wake me tomorrow at ...?
koed joe week mie toe**mor**roo et ...

Ik verwacht een bezoeker
I am expecting a visitor
aim ik**spek**ting u **vis**situ

Kan ik op de kamer ontbijten/lunchen/dineren?
Can I have breakfast/lunch/dinner in my room?
ken ai hev **brek**fust/lunsj/**din**nu in mai roem

Is er een boodschap voor mij achtergelaten/aangekomen?
Has anyone left a message for me?
hez **en**niewan left u **mes**sudzj fo[r] mie

Ik heb een afspraak met ...; is hij/zij op zijn/haar kamer?
I have an appointment with ...; is he/she in his/her room?
ai hev un up**pojnt**munt wiθ ...; iz hie/sjie in his/hu roem

Kunt u dit in de safe bewaren?
Could you put this in the safe?
koed joe put ðis in ðu seef

Kan ik deze bagage hier laten staan?
Can I leave my luggage here?
ken ai lief mai **lugh**gudzj he[r]

69

Ik wacht ...
I'll wait ...
ail weet ...

hier	here	he[r]
in de bar/lounge	in the bar/lounge	in ðu ba[r]/lounzj
in het restaurant	in the restaurant	in ðu **res**trunt
op mijn kamer	in my room	in mai roem

Kan ik hier geld wisselen/cheques verzilveren?
Can I change money/cash cheques here?
ken ai tsjeenzj **mon**nie/kesj tsjeks he[r]

De kamer is niet schoongemaakt	**Het beddengoed is niet verschoond**
The room has not been cleaned	The bed linen has not been changed
ðu roem hez not bien kliend	ðu bed linnun hez not bien tsjeenzjd

Ik heb geen ...
I have no ...
ai hev noo ...

handdoek	towel	toul
badhanddoek	bath towel	baθ toul
zeep	soap	soop
afvoerstop	plug	plugh
toiletpapier	toilet paper	**toj**lut **pee**pu
prullenbak	wastepaper basket	**weest**peepu **bas**kut
kussensloop	pillow case	**pil**loo kees
klerenhangers	coat hangers	koot **heng**u[r]s

Het raam kan niet open/dicht
The window cannot be opened/closed
ðu **win**doo kennot bie **oo**pund/kloozd

Kunt u een kamermeisje/reparateur sturen?
Could you send up a chambermaid/repairman?
koed joe send up u **tsjeem**bumeed/rie**pe[r]**men

Er is een defect aan de/het ...
The ... doesn't [meervoud: don't] work
θu ... **duz**zunt [doont] wu[r]k

airconditioning	air conditioning	e[r] kun**di**sjunning
verwarming	heating	**hie**ting
verlichting	lights [meervoud]	laits

telcvisietoestel	television set	**tel**livizjun set
douche	shower	**sjou**wu
afvoer	drainage	**dree**nitzj

Ik wil graag een extra deken/kussen
I would like to have an extra blanket/pillow
ai woed laik toe hev un **eks**tru **blen**kut/**pil**loo

Er is bij mij ingebroken/er is iets gestolen
My room has been broken into/something has been stolen
mai roem hez bien **broo**kun **in**toe/**som**0ing hez bien **stoo**lun

Ik wil graag een andere kamer
I would like to have another room
ai woed laik toe hev u**no**ðu roem

Ik neem een ander hotel
I am moving into another hotel
aim **moe**ving **in**toe u**no**ðu hoo**tel**

---

kamperen buiten de camping

Mag men hier vrij kamperen?
Is unauthorised camping allowed here?
iz unoquhraizd **kem**ping u**loud** he[r]

◄ **Nee, alleen op een officiële camping**
No, only on an official camp site.
noo, oonlie on un offi**sj**ul kemp sait

◄ **Ja, met toestemming van de eigenaar van de grond**
Yes, if the landowner gives his permission.
jes, if ðu **len**d oonu[r] ghivz his pu[r]**mis**jun

Mogen we hier een tent opslaan/de caravan neerzetten?
May we put up our tent/park our caravan here?
mee wie poet up ouwu **tent**/pa[r]k ouwu **ker**ruven he[r]

Mogen we hier in de auto/caravan overnachten?
Is it allowed to spend the night in the car/caravan?
iz it u**loud** toe spend ðu nait in ðu ka[r]/**ker**ruven

◄ **Nee, dit is een natuurgebied**
No, this is a nature reserve
noo, ðis iz u **nee**tju[r] riezu[r]v

Wie is de eigenaar van deze grond?
Who is the owner of this land?
hoez ðie **oo**nu[r] uv ðis lend

Mogen we op uw terrein overnachten?
May we spend the night on your property?
mee wie spend ðu **nait** on jo[r] **pro**puttie

We blijven maar één nacht
We are staying for just one night
wie a[r] **stee**jing fo[r] djust wan **nait**

Hoeveel zijn we u hiervoor verschuldigd?
How much do we owe you?
hou **mutsj** doe wie **oo** joe

Waar kunnen we ons wassen?
Where can we wash?
we[r] ken wie **was**j

Bedankt voor uw gastvrijheid
Thank you for your hospitality
θenk joe fo[r] jo[r] hospi**tel**littie

Tot ziens!
Goodbye!
ghoed bai

◀ **U mag hier niet kamperen**
You are not allowed to camp here
joe a[r] not u**loud** toe **kemp** he[r]

◀ **U krijgt hiervoor een waarschuwing/bekeuring**
You are going to get a warning/fine
joe a[r] **ghoo**ing toe ghet u **wo[r]**ning/fain

bij de receptie van de camping

Goedemorgen/Goedemiddag/Goedenavond
Good morning/Good afternoon/Good evening
ghoed **mo[r]**ning/ghoed aftu**noen**/ghoed **iev**ning

Ik zoek een plaats voor een ...
I am looking for a spot to put a ...
aim **loe**king fo[r] u spot toe poet u ...

een tent	a tent	u tent
een kleine tent	a small tent	u smol tent
twee tenten	two tents	toe tents
een auto met caravan	a car with a caravan	u ka[r] wiθ u **ker**ruven
een auto met vouwwagen	a car and a trailer tent	**ka[r]** end u **tree**lu tent
een camper	a camper	u **kem**pu

◀ **Het spijt mij, de camping is vol**
I'm sorry, the camp site is full
aim sorrie, ð **kemp** sait iz foel

◀ **Dat is mogelijk**
That is possible
ðet iz **pos**siebul

We blijven hier ...
We are staying here for ...
wie a[r] **stee**jing he[r] fo[r] ...

één nacht	one night	wan nait
twee nachten	two nights	toe naits

drie nachten	three nights	qrie naits
vier nachten	four nights	fo[r] naits
een week	a week	u wiek
twee weken	two weeks	toe wieks

◄ Dit is een besloten camping
This is a private camp site
ðis iz u **prai**vut kemp sait

Accepteert u de CCI?
Do you accept the CCI?
do joe uk**sept** ðu sie sie **ai**

We weten nog niet hoe lang we hier blijven
We do not yet know how long we shall be staying
wie doe not jet **noo** hou long wie sjel bie **stee**jing

Wat is de prijs per plaats?
What is the price per site?
wot iz ðu **prais** pu[r] sait

Wat is bij die prijs inbegrepen?
What does the price include?
wot duz ðu prais in**kloe**d

Wat kost het per ...?
How much is it per/for each ...?
hou mutsj iz it pu/fo[r] ietsj ...

nacht	night	nait
week	week	wiek
persoon	person, head	**pu**sun, hed
volwassene	adult	**ed**dult (ook: u**dult**)
kind	child	tsjaild
tent	tent	tent
caravan	caravan	**ker**ruven
auto	car	ka[r]
motor	motorcycle	**moo**tusaikul
fiets	bicycle	**bai**sikkul

◄ Mag ik uw kampeercarnet/lidmaatschapskaart zien?
May I see your camping card/membership card please?
mai ai sie jo[r] **kem**ping ka[r]d/**mem**busjip ka[r]d **pliez**

◄ Wilt u dit invullen?
Could you fill this in please?
koed joe fil ðis **in** pliez

Heb ik hiermee recht op korting?
Do I get a discount with this?
doe ai ghet u **dis**kaunt wiθ ðis

Mag ik zelf een plaats uitkiezen?
May I choose a place myself?
mee ai tjoez u **plees** maiself

Waar mag ik staan?
Where am I allowed to camp?
we[r] em ai u**loud** toe kemp

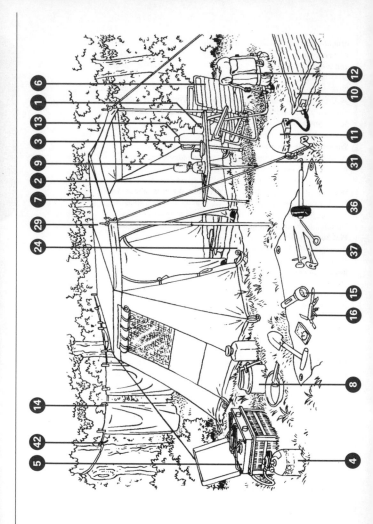

Mogen we bij elkaar staan?
Can we camp together?
ken wie **kemp** toe**gheð** u

Heeft de plaats een nummer?
Does the site have a number?
duz ðe **sait** hev u **num**bu

Mag de auto bij de tent staan?
May we park the car next to the tent?
mee wie pa[r]k ðu **ka**[r] nekst toe ðu **tent**

Is er een fietsenstalling?
Is there a bicycle shed?
iz ðe[r] u **bai**sikkul sjed

Mag de hond op de camping?
Are dogs allowed on the camp site?
a[r] **doghs** uloud on [u kemp sait

◄ **Ja, maar alleen aan de lijn**
Yes, but only if on a lead
jes, but oonlie if on u lied

Hoe gaat de slagboom omhoog?
How do you raise the barrier?
hou doe joe reez ðu **ber**riu[r]

◄ **Met een sleutel/magneetkaart**
With a key/security card
wiθ u **kie**/suk**joe**ritti ka[r]d

Tot hoe laat kunnen we nog binnenkomen?
What is the latest we have to be back?
wot iz ðu **lee**tust wie hev toe bie **bek**

Is de camping bewaakt?
Is the camp site guarded?
iz ðe kemp sait **gha[r]**dud

Mag ik aan de caravan een voortent zetten?
May I attach an awning to the caravan?
mee ai utetsj un**oh**ning toe ðu **ker**reven

Mogen we op de camping vuur maken/barbecuen?
Are we allowed to make camp fires/barbecue on the camp site?
a[r] wie uloud toe meek kemp faiuz/ba[r]bukjoe onð e kemp sait

We gaan vertrekken, mag ik afrekenen?
We are leaving, can I have the bill please?
wie a[r] **lie**ving, ken ai hev ðu **bil** pliez

◄ **Hier is uw rekening**
Here is your bill
he[r] iz jo[r] **bil**

Accepteert u eurocheques/creditcards?
Do you accept eurocheques/credit cards?
doe joe uksept **joe**roo-tsjeks/**kred**dit ka[r]dz

◄ **Dank u wel en goede reis!**
Thank you very much. Have a safe journey!
θenk joe verrie **mutsj**. hev u seef **dju**[r]nie

---

de uitrusting

1	**beker**	mug	u mugh
2	**bestek**	cutlery	**kut**lurrie
	blikopener	tin opener	tin **oo**punnu
3	**bord**	plate	pleet

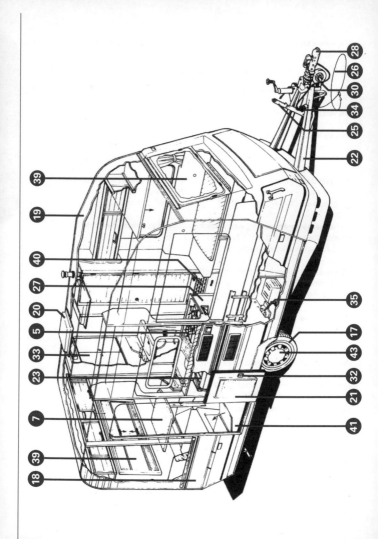

brandspiritus	methylated spirits	me**θ**illeetut spirrits
4 butagas	butane gas	bjoe**teen** ghez
emmer	bucket	**buk**kut
flesopener	bottle opener	**bot**tul **oo**punu
5 gasbrander	gas burner	**ghez** bu[r]nu
jerrycan	petrol can	**pe**trol ken
6 klapstoel	folding chair	**fool**ding tsje[r]
7 klaptafel	folding table	**fool**ding **tee**bul
8 koelbox	coolbox	koel boks
kopje	cup	kup
kurkentrekker	corkscrew	**ko[r]k**skroe
9 lamp	lamp	lemp
lantaarn	lantern	**len**tu[r]n
lepel	spoon	spoen
ligstoel	deckchair	dek tsje[r]
10 luchtbed	air mattress	e[r] **met**trus
opklapbaar bed	fold-away bed	**fool**duwee bed
pan	pan, pot	pen, pot
11 pomp	inflator	in**flee**tu
primus	camping stove	**kem**ping stoov
12 rugzak	rucksack	**ruk**sek
schaar	pair of scissors	pe[r] of **sis**suz
13 thermosfles	thermos flask	**θur**mus flask
touw	rope	roop
verbandkist	first-aid kit	fu[r]st-**eed** kit
vork	fork	fo[r]k
14 wasknijpers	clothes pegs	kloo[z peghs
15 zaklantaarn	torch	tortsj
16 zakmes	pocketknife	**pok**kutnaif

onderdelen van tent en caravan

aardlekschakelaar	earthing switch	**u[r]θ**ing switsj
achterlicht	rear light	re[r] lait
as	axle	**ek**sul
17 band	tyre	**tai**-ju
18 buitenwand	outer wall	outu wol
chassis	chassis	**sjes**sie
chemisch toilet	chemical toilet	kemmikul **toj**lut
19 dak	roof	roef
20 dakluik	skylight	**skai**lait
21 deur	door	do[r]

77

22	**dissel**	pole	pool
	elektrische bedrading	electrical wiring	ie**lek**trikkul **wai**ring
	gasfles	gas cylinder	**ghes** sillindu
23	**gasslang**	gas pipe	**ghes** paip
	gloeilamp	light bulb	**lait** bulb
24	**grondzeil**	groundsheet	**ghround** sjiet
25	**handrem**	handbrake	**hend** breek
26	**handrembreekkabel**	handbrake cable	**hend** breek keebul
	koelelement	cooling element	**koe**ling ellumunt
27	**koelkast**	fridge	fridzj
28	**koppeling**	clutch	klutsj
29	**luifel**	awning	**oh**ning
	mat(je)	mat	met
30	**neuswiel**	nose wheel	**nooz** wiel
	ploeprem	overrun brake	ovurun breek
	remkabel	brake cable	**breek** keebul
	remlicht	brake light	**breek** lait
	remtrommel	brake drum	**breek** drum
	richtingaanwijzer	indicator	**in**dikeetu
	rollager	roller bearing	**roo**lu be[r]-ring
31	**scheerlijn**	guy	ghai
	schokdemper	shock absorber	**sjok** ub**so[r]**bu
32	**slot**	lock	lok
33	**spiegel**	mirror	**mir**ru
34	**stekker**	plug	plugh
35	**stopcontact**	socket	**sok**kut
36	**tenthamer**	mallet	**mel**lut
37	**tentharing**	tent peg	**tent** pegh
38	**tentstok**	tent pole	**tent** pool
	trekhaak	towbar	**too**ba[r]
39	**venster**	window	**win**doo
40	**verwarming**	heating	**hie**ting
41	**vloer**	floor	flo[r]
	voortent	awning	**oh**ning
42	**waslijn**	clothes line	**kloo[** z lain
	waterpomp	water pump	**wo**tu pump
	watertank	water tank	**wo**tu tenk
43	**wiel**	wheel	wiel
	windscherm	windshield	**wind** sjield
	zekering	fuse	fjoez
	zijlicht	side light	**said** lait

faciliteiten

Werken de douches hier op muntjes?
Do you need coins to operate the showers here?
doe joe nied **koin**z toe opureet ðe **sjou**wu[r]z he[r]

Kan ik die bij de receptie kopen?
Can I buy them at the reception?
ken ai **bai** ðem et rie**sep**sjun

Kan het toilet van binnen op slot?
Can you lock the toilet on the inside?
ken joe lok ðe **toj**lut on ðie insaid

Is hier ...?/Waar is ...?
Is there a ... here?/Where is the ...?
iz ðe[r] u ... he[r]/we[r] iz ðu ...

een afvalbak	a/the waste bin	u/ðu **weest** bin
een brievenbus	a/the letterbox	u/ðu **lett**urboks
een douchehok	a/the shower(s)	u/ðu **sjou**wu
de kampwinkel	a/the camp site shop	u/ðu **kemp** sait sjop
een kinderspeelplaats	a/the children's playground	u/ðu **tsjil**drunz **plee**ghround
een kookgelegenheid	a/the cooking facilities	u/ðu **koe**king fu**sill**ieties
het restaurant	a/the restaurant	u/ðu **res**trunt
de spoelruimte	a/the washing up room	u/ðu **wosj**ing **up** roem
het sportveld	a/the sports field	u/ðu **spo[r]**ts field
het strand	a/the beach	u/ðu bietsj
een telefooncel	a/the telephone box	u/ðu **tell**ufoon boks
de tennisbaan	a/the tennis court	u/ðu **ten**nis ko[r]t
een toilet	a/the toilet	u/ðu **toj**let
een vuilniscontainer	a/the rubbish container	u/ðu **rubb**isj kon**tee**nu
een wasautomaat	a/the washing machine	u/ðu **wosj**ing musj**ien**
een wasbak	a/the sink	u/ðu ink
een waterkraan	an/the tap	un/ðu tep
een wisselkantoor	a/the exchange office	u/ðu iks**tsjeenz** offis
het zwembad	a/the swimming pool	u/ðu **swim**ming poel

Moet hiervoor extra betaald worden?
Do you have to pay extra for this?
doe joe hev toe pee **ek**stra fo[r] ðis

Is er een serviceplaats voor campers?
Is there a campers' service area?
iz ðe[r] u **kem**pus **su[r]**vis erriu

Waar kan ik het chemisch toilet legen?
Where can I empty the chemical toilet?
we[r] ken ai **emp**tie ðu kemmikul **toj**lut

Kan ik hier gasflessen vullen/omruilen?
Can I fill/exchange gas cylinders here?
ken ai iks**tsjeenz** ghes sielindu[r]s hie[r]

Kunnen we hier ... huren?
Can we hire ... here?
ken wie haiu ... he[r]

fietsen	bicycles	**bai**sikkul
een tent	a tent	u tent
een kano	a canoe	u ku**noe**
een roeiboot	a rowing boat	u **roo**wing boot
een zeilboot	a sailing boat	u **see**ling boot
een scooter	a motor scooter	u **mo**tu[r]skoetu[r]
een mountainbike	a mountain bike	u **moun**tun baik

opschriften

CAMPING PROHIBITED	KAMPEREN VERBODEN
CHILDRENS' PLAY AREA	KINDERSPEELPLAATS
CLOSED	GESLOTEN
DOGS NOT PERMITTED	HONDEN NIET TOEGELATEN
LADIES/GENTS	DAMES/HEREN
NO THROUGH ROAD	GEEN DOORGANG
NO TRESPASSING	VERBODEN TOEGANG
OPEN	GEOPEND
PRIVATE PROPERTY	PRIVÉ(TERREIN)
... PROHIBITED	VERBODEN TE ...
RECEPTION	RECEPTIE
REGISTER HERE	HIER MELDEN
SHOWERS	DOUCHERUIMTE
TOILETS	TOILETTEN
WASHING UP ROOM	SPOELRUIMTE
WASH ROOM	WASRUIMTE

De Britse keuken heeft doorgaans niet zo'n heel goede naam, maar dat wil niet zeggen dat men in Groot-Brittannië niet heerlijk kan eten. Het ontbijt neemt een belangrijke plaats in en is vrij uitgebreid. Zo zijn er de bekende gebakken eieren met spek (**bacon and eggs**) of roerei (**scrambled eggs**), die vaak vergezeld gaan van witte bonen in tomatensaus (**baked beans**), tomaat, worstjes (**sausages**), champignons en gebakken brood. Verder wordt er uiteraard thee (doorgaans met veel melk) geserveerd, toast, marmelade en cornflakes. De traditionele gebakken bokkingen (**kippers**) en havermoutpap (**porridge**) zult u niet zo vaak meer tegenkomen.

De lunch bestaat uit eenvoudige **sandwiches** of een overheerlijke pastei (**pie**). Op het platteland kunt u vaak ook de zogenaamde **ploughman's lunch** (boerenlunch) krijgen, die bestaat uit grof brood, Engelse cheddar-kaas en **chutney** (Indiase zoetzure saus van groenten). Belangrijker dan de lunch is echter de **afternoon tea** of **cream tea**, die om ongeveer 4 uur 's middags aanvangt. Bij de thee worden allerlei soorten sandwiches, cake, koekjes en scones met boter en jam of (slag)room genuttigd. Wanneer er sprake is van een **high tea** wordt er zelfs een complete warme maaltijd bij geserveerd.

Voor wie niet zo'n uitgebreide high tea heeft genuttigd, is er vanaf zeven uur 's avonds het avondeten. Traditionele gerechten zijn de bekende **fish and chips** (gebakken visfilet met patates frites), **shepherd's pie** (een pastei van lamsgehakt en aardappelpuree), **steak and kidney pie** (pastei van rundvlees en ossennieren) en **Yorkshire pudding** (een gebakken meelspijs die vaak bij roast beef gegeten wordt). Verder wordt er in Engeland veel lamsvlees en vis gegeten en ook Indiaas eten (verschillende **curries**) is vanwege het koloniale verleden populair en goed.

Na het theaterbezoek is er eventueel nog gelegenheid tot een **supper**. Deze maaltijd bestaat vaak uit lunchgerechten of van de warme maaltijd overgebleven koud vlees.

cafeteria	goedkoop restaurantje waar u aan de balie eenvoudige Engelse gerechten kunt krijgen;
fish-and-chips shop	soort snackbar of soms alleen een kraampje waar u uitsluitend fish and chips (stukjes vis, meestal kabeljauw, met patates frites, vaak verpakt in een krant) kunt krijgen;
inn	een herberg (soms met slaapgelegenheid) op het platteland waar u dikwijls ook (eenvoudig) kunt eten;
pub	een café dat vaak als sociale ontmoetingsplaats dient voor de gehele buurt en waar u dikwijls ook eenvoudig doch smakelijk kunt eten (ma. t/m za. 10-15 en 17.30-23 uur; zo. 12-14 en 19-22.30 uur);
restaurant	net als in Nederland in allerlei soorten en maten, waar gewoonlijk vanaf 19.00 uur gegeten wordt;
self-service	wegrestaurants (soms maar tot 18.00 uur geopend!) waar u snel wat 'fast food' of andere eenvoudige maaltijden kunt nuttigen;
tearoom	gelegenheid waar u tot ongeveer 17.30 uur uitgebreide Engelse teas (zie de tekst over eten en drinken hiervóór) kunt genieten.

Het is de gewoonte om in de inn of pub uw bestelling te plaatsen aan de bar en direct af te rekenen, ook al bent u van plan later nog wat bij te bestellen. Hoewel er geen wettelijk voorgeschreven openingstijden meer zijn voor pubs en inns, hanteert men op het platteland nog vaak bovengenoemde, traditionele tijden.

Heeft u een tafel vrij?
Do you have a table for us?
doe joe hev u **tee**bul fo[r] us

Een tafel voor 2 personen alstublieft
A table for two please
u **tee**bul fo[r] toe pliez

◄ **Heeft u gereserveerd?**
Do you have a reservation?
doe joe hev u rezzu**vee**sjun

Ik heb een tafel voor 2 personen gereserveerd
I made a reservation for a table for two
ai meed u rezzu**vee**sjun fo[r] u **tee**bul fo[r] toe

◄ **We hebben helaas geen tafel meer vrij**
Unfortunately all tables are occupied
un**fo[r]**tsjunnitlie ol **tee**buls a[r] **o**kjoepaid

◄ **U kunt over een half uur terugkomen**
You can come back in half an hour
joe ken kum bek in haf un **ou**wu

◄ **Het restaurant gaat pas om 9 uur open**
The restaurant does not open until nine
ðu **res**trunt **duz**zunt **oo**pun **un**til nain

◄ **De keuken is al gesloten**
The kitchen is already closed
ðu **kit**sjun iz ol**red**die kloozd

De menukaart/wijnkaart alstublieft
The menu/wine list please
ðu **men**joe/wain list pliez

Ik eet alleen vegetarische maaltijden
I only eat vegetarian dishes
ai **oon**lie iet vedzji**te**rriejun **disj**us

Kunt u iets aanbevelen?
Can you recommend anything?
ken joe rekkum**mend en**nieθing

Voor onze kinderen graag een kinderportie
We'd like small portions for our children
wied laik smol **po**sjuns fo[r] **ou**wu **tsjil**drun

Ik wil graag een streekgerecht proeven
I would like to try a regional dish
ai woed laik toe trai u **rie**dzjunnul disj

We hebben geen bestek/borden
We don't have any cutlery/plates
wie doont hev **en**nie **kut**lurrie/pleets

Wilt u deze fles voor mij openen?
Could you open this bottle for me?
koed joe **oo**pun ðis **bot**tul fo[r] mie

◄ **Eet smakelijk!**
Enjoy your meal!
en**djoj** jo[r] miel

◄ **Heeft het gesmaakt?**
Did you enjoy your meal?
did joe en**djoi** jo[r] miel

◄ **Kan ik afruimen?**
Can I clear the table?
ken ai kle[r] ðu **tee**bul

De rekening alstublieft
The bill please
ðu bil pliez

Ik wil graag betalen
I would like to pay
ai woed laik toe pee

Voor ieder een aparte rekening
We'd like to have separate bills
wied laik toe hev **sep**pureet bils

Waar is het toilet/de garderobe?
Where's the toilet/cloakroom?
we[r]z ðu **toj**lut/**klook**roem

Ober!
Waiter!
weetu

asbak	ashtray	**esj**tree
bestek	cutlery	**kut**lurrie
fles	bottle	**bot**tul
glas	glass	ghlas
lepel	spoon	spoen
mes	knife	naif
peper- en zoutstel	salt and pepper	solt un **pep**pu
servet	napkin	**nep**kin
vork	fork	fo[r]k

Eet smakelijk!	Enjoy your meal!	in**djoj** jo[r] miel
Op uw gezondheid!	Cheers! Here's to your health!	tsjeers, hie[r]z toe jo[r] helθ
Op de uwe!	And here's to you!	end hie[r]z toe joe
Moge het u wel bekomen!	I hope you have enjoyed your meal!	ai hoop joe hev in**djojd** jo[r] miel

STARTERS	**VOORGERECHTEN**
boiled ham	gekookte ham, wordt zowel warm als koud gegeten
clam chowder	mosselsoep
cock-a-leekie	Schotse kippensoep met spek en prei
cold cuts	gemengde, gesneden vleeswaren
consommé	heldere soep, bouillon
crayfish bisque	gebonden kreeftensoep
devilled eggs	gevulde eieren
egg mayonaise	Russisch ei
kail	Schotse koolsoep
salad	salade, zoals green salad (groene salade). ham salad (hamsalade), meat salad (vleessalade: rosbief met groenten, sla en tomaat), prawn salad (garnalensalade)
soup	soep, zoals soup of the day (soep van de dag), chicken noodle soup (vermicellisoep), curry soup (gebonden kerriesoep, Indiaas), lentil soup (linzensoep), lobster soup (kreeftensoep), mulligatawny soup (vleessoep met kerrie, Indiaas), onion soup (uiensoep), oxtail soup (ossenstaartsoep), saffron soup (saffraansoep), tomato soup (tomatensoep) en vegetable soup (groentensoep)
savouries	hartige hapjes vooraf, zoals angles on horseback (oesters

	in spekrolletjes), devilled ham toasts (geroosterd brood met ham en saus), devils on horseback (kippenlever in spekrolletjes) of Scotch woodstock (ansjovis op toost)
Scotch broth	dikke, gebonden (maaltijd)soep van schapen- of rundvlees
Scotch eggs	gepaneerde en gefrituurde, hardgekookte eieren met gehakt (ook als lunchgerecht of tussendoortje)
stuffed olives	gevulde olijven
Welsh rarebit	toost met gesmolten kaas

FISH	**VIS (EN WEEK- EN SCHAALDIEREN)**
anchovy	ansjovis
blawn fish	Schotse gedroogde en gezouten vis
bloater	gerookte haring
clams	mosselen
cockles	kokkels
cod	kabeljauw
crab	krab
eel	paling
haddock	schelvis
halibut	heilbot
heids	viskoppen (Schots)
(smoked) herring	(gerookte) haring
kippers	gerookte en gezouten haring (bokking)
lobster	zeekreeft
mackerel	makreel
mussels	mosselen
oysters	oesters
plaice	schol
salmon	zalm
scampi	grote, gepaneerde garnalen
shrimps	garnalen
sillock	koolvis
sole	tong
prat	sprot
trout	forel
tuna, tunny	tonijn
whiting	wijting

MEAT	**VLEESGERECHTEN**
bacon	spek
beef	rundvlees, zoals beef olives (blinde vinken), collared beef (runderrollade), roast beef (rosbief, bij voorkeur samen met

	Yorkshire pudding, gebakken eierdeeg)
black pudding	een soort bloedworst
chop	kotelet, zoals lamb chop (lamskotelet), pork chop (varkens-kotelet)
escalope	kalfsoester
kidneys	niertjes
lamb chops	lamskoteletten
liver	lever
minced meat	hachee
mutton	schapenvlees (haricot of mutton is een stamppot van scha-penvlees) pie pastei(tje), zoals beef pie (rundvleespastei), fidget pie (met spek, ui en appel)
pork	varkensvlees
rib	ribstuk
saddle	lendenstuk
sausages	worstjes
shank	schenkel
steak	biefstuk, zoals fillet steak of Porterhouse steak (biefstuk van de haas), sirloin steak (lendenbiefstuk), T-bone steak (biefstuk van de rib) stew stoofpot, zoals Irish stew scha-penvlees,aardappelen, uien)
sucking pig	speenvarken
tenderloin	ossenhaas
tripe	pens
veal	kalfsvlees, zoals veal rolls (kalfsschnitzel-rolletjes)
GAME AND FOWL	**WILD EN GEVOGELTE**
chicken	kip
duck	eend
goat	geitenvlees
goose	gans
partridge	patrijs
pheasant	fazant
pigeon	duif
quail	kwartel
rabbit	konijn
turkey	kalkoen
venison	hertenvlees
wild boar	wild zwijn

baked	in de oven gebraden
boiled	gekookt
deep-fried	gefrituurd
fried	gebakken
grilled	gegrild
marinated	gemarineeerd
minced	gehakt
pickled	in het zuur
rare	zeer licht gebakken
roasted	geroosterd
smoked	gerookt
stewed	gestoofd, als ragout
stuffed	gevuld
well done	doorgebakken

VEGETABLES	**GROENTEN**
artichoke	artisjok
asparagus	asperge
beans	bonen, zoals baked beans (witte bonen in tomatensaus), broad beans (tuinbonen), French beans (sperziebonen), haricot beans (witte bonen) en kidney beans (een soort bruine bonen)
beetroo	rode bieten
cabbage	kool
carrots	wortelen
cauliflower	bloemkool
celery	selderij
chicory	witlof
cucumber	komkommer
egg plant	aubergine
endive	andijvie
fennel	venkel
garlic	knoflook
leek	prei
lettuce	kropsla
mushrooms	champignons
onions	uien
parsley	peterselie
peas	grote doperwten
red/green pepper	rode/groene paprika

sauerkraut	zuurkool
spinach	spinazie
watercress	waterkers

FRUIT AND NUTS **FRUIT EN NOTEN**

apricot	abrikoos
bilberries	bosbessen
blackberries	bramen
black currants	zwarte bessen
blueberries	blauwe bosbessen
cherries	kersen
chestnuts	kastanjes
coconut	kokosnoot
dates	dadels
figs	vijgen
gooseberries	kruisbessen
grapes	druiven
lemon	citroen
lime	limoen
melon	meloen
mulberries	moerbessen
orange	sinaasappel
peach	perzik
peanuts	pinda's
pear	peer
pineapple	ananas
plum	pruim
raisins	rozijnen
raspberries	frambozen
red currants	aalbessen
strawberries	aardbeien
tangerine	mandarijn
walnuts	walnoten

DESSERTS **NAGERECHTEN**

apple pie	appeltaart met room of warme custard
cheese	kaas, zoals Caerphilly, Cheddar, Cheshire, Double Gloucester, Lancashire, Leicester of Wensleydale
cheesecake	kaasgebak
ice cream	ijs (zie hiervoor ook de lijst met fruit)
roly-poly	gestoomde pudding met jam en fruit (soms met gehakt)
pancakes	pannenkoeken

pastries	algemene naam voor gebakjes
pudding	een algemene benaming voor veel nagerechten, die soms niet eens op onze pudding lijken, zoals Bakewell pudding (bladerdeeg met jam), bread and butter pudding (brood met krenten en rozijnen, overgoten met vla), Christmas pudding (een traditioneel Kerstnagerecht met fruit, broodkruimels en specerijen), Eve's pudding (appel en kruidnagelen), hedgehog pudding (met caramel en amandelen), rice pudding (met rijst) of summer pudding (met bessen)
spotted dick	pudding met rozijnen
syllabub	melk of room, geklopt met suiker, sherry en citroensap
trifle	in sherry gedrenkte cake met een laag jam of vers fruit

DRINKS	DRANKEN
beer	bier: draught (van de tap), ale (licht, sterk gehopt), stout (donker)
brandy	brandewijn (vergelijkbaar met cognac)
cider	appelcider (frisse mousserende, licht alcoholische appeldrank): dry (droog) of sweet (zoet)
coffee	koffie (in GB veel minder gedronken dan in Nederland en veel slapper): black (zwart) of white (met melk)
fruit juice	vruchtensap
gin	gin, enigszins vergelijkbaar met jenever, vaak gedronken in combinatie met tonic of met lime (sap van groene citroen)
hot chocolate	warme chocolademelk
Irish coffee	de ook bij ons bekende koffie met whisky en slagroom
lager	vergelijkbaar met ons pilsener
lemonade	gazeuse, ook wel gedronken in combinatie met bier (shandy)
milk	melk
mineral water	mineraalwater
Pimm's	een alcoholhoudende drank waaraan allerlei vruchten en frisdrank worden toegevoegd zodat een soort cocktail ontstaat; speciaal geschikt voor warme dagen
sherry	sherry: cream (heel zoet), dry (droog) en medium (ertussenin)
tea	thee: white/with cream (met melk) of with lemon (met citroen)
wine	wijn: white (wit), red (rood), rosé (rosé), sparkling (mousserend), dry (droog), sweet (zoet)
whisky	vooral in Schotland veel gedronken met sodawater of alleen met ijs

Enkele Britse afkortingen

AA	Automobile Association	Vereniging van Automobilisten (zusterclub ANWB)
B.C.	Before Christ	voor Christus
BR	British Rail	Britse Spoorwegen
cf.	confer	vergelijk
c/o	care of	per adres
Co.	County	graafschap
c.o.d.	cash on delivery	onder rembours, betaling bij levering
C of E	Church of England	Anglicaanse Kerk (alleen in Engeland)
dec.	deceased	overleden
e.g.	exempli gratia [Latijn]	bijvoorbeeld
encl.	enclosed/enclosure	bijgesloten/ bijlage
F.A.	Football Association	(Engelse) Voetbalbond
i.e.	id est [Latijn]	dat wil zeggen
IOU	[fonetisch] I owe you	schuldbekentenis [lett.: ik ben u schuldig]
GP	General Practitioner	huisarts
GPO	General Post Office	(hoofd)postkantoor
H.Q.	Headquarters	hoofdkwartier
ltd.	limited liability	beperkte aansprakelijkheid (vgl. naamloze vennootschap)
misc.	miscellaneous	diversen
MP	Member of Parliament	parlementslid
m.p.h.	miles per hour	mijl(en) per uur
Mr.	mister	de heer, meneer
Mrs.	[alleen in afgekorte vorm]	mevrouw
Ms.	[alleen in afgekorte vorm]	mevrouw of mejuffrouw (Miss)
oz.	ounces	Engelse inhoudsmaat (bijna 30 gram)
p	pence	pennies (kleinste munteenheid)
(W)PC	(Woman) Police Constable	(vrouwelijke) politieagent
PO B(ox)	Post Office Box	postbus
pto	please turn over	zie ommezijde
RAC	Royal Automobile Club	Koninklijke Automobielclub
rly	railway(s)	spoorwegen
Q	[symbolisch] queue	opstellen, in de rij staan (bijv. Q here)
sgd/sgn	signed/signature	ondertekend/handtekening
V.A.T.	Value Added Tax	BTW
X	[symbolisch] Cross	kruispunt (bijv. King's X)
Xmas	Christmas	Kerstmis

De Britten gaan graag uit. De simpelste vorm van amusement is een bezoek aan de kroeg om de hoek, de *pub*. Bestellen aan de tapkast *(A pint of lager, please)*, direct afrekenen, kletsen over van alles en nog wat (bij voorkeur voetbal) en wachten tot de cafébaas roept dat het tijd is om de glazen in te leveren: *Can I have your glasses, please?* Dat betekent dat je je glas in alle rust kunt leegdrinken, maar dat er niet meer kan worden besteld. De openingstijden *(licensed hours)* zijn niet meer zo krap als vroeger, maar tot diep in de nacht stappen zit er niet in. Daarvoor moet de Brit naar een bar in het stadscentrum, met ruimere openingstijden. Populair is ook een bezoek aan een theater.

wat is er te doen?

Heeft u een lijst met evenementen/theatervoorstellingen?
Do you have a list of events/theatre performances?
doe joe hev u list uv ie**vents**/**θie**juttu pu**fo**munsiz

ballet	ballet	**bel**lee
bar	bar	ba[r]
bioscoop	cinema	**sin**numu
café (kroeg)	pub	pub
café (koffiehuis)	café	**ke**fee
circusvoorstelling	circus performance	**su**kus pu**fo**muns
concertzaal	concert hall	**kon**sut hol
discotheek	discotheque	**dis**kootek
film	film	film
folkloristische voorstelling	folkloristic performance	fooklor**ris**tik pu**fo**muns
loungebar	loungebar	**loundzj**ba[r]
musical	musical	**mjoe**sikkul
opera	opera	**o**pra
openluchtbioscoop	open-air cinema	**oo**pun e[r] **sin**numa
openluchtconcert	open-air concert	**oo**pun e[r] **kon**sut

openluchttheater	open-air theatre	**oo**pun e[r] **θie**juttu
operette	operetta, light opera	oopu**rett**u, lait **o**pra
optocht	parade, pageant	pur**reed**, **pee**dzjunt
optreden van ...	performance of ...	pu**fo**muns uv ...
popconcert	rock concert, gig	rok **kon**sut, ghigh
schouwburg	theatre	**θie**juttu
terras	terrace, outdoor café	**ter**res, **out**doo[r] **ke**fee
toneelstuk	play	plee
variété	variety show	vu**rai**-juttie sjoo

bioscoop en theater

Is hier in de buurt een bioscoop?
Is there a cinema nearby?
iz ðe[r] u **sin**nummu ne[r]**bai**

Wat draait er vanavond?
What's on tonight?
wots on toe**nait**

Wat is het voor een soort film?
What kind of film is it?
wot kaind uv film iz it

Amerikaans	American	u**mer**rikun
avonturenfilm	adventure film	ed**ven**tju film
drama	tragedy	**tre**dzjuddie
Engels	English	**ing**lisj
Frans	French	frensj
Italiaans	Italian	i**tel**jun
kinderfilm	children's film	**tsjil**druns film
komedie	comedy	**kom**muddie
misdaadfilm	crime/action film	kraim/**ek**sjun film
musical	musical	**mjoe**sikkul
psychologisch drama	psychological drama	saiko**lo**dzjikel **dra**ma
romantische film	romantic movie	ro**men**tik **moe**vie
science fiction	science fiction	**sai**-juns **fik**sjun
tekenfilm	cartoon	ka[r]**toen**
thriller	thriller	**θril**lu
western	western	**wes**tu[r]n

Hoe laat begint de voorstelling?
What time does the performance start?
wot taim duz ðu pu**fo**muns sta[r]t

Is de film voor ...?
Is the film ...?
iz ðu film ...

voor alle leeftijden	U-rated	**joe**-reetid	
voor 18 jaar en ouder	X-rated	**eks**-reetid	

Wie treedt er op?
Who is [meervoud: are] performing?
hoe iz/a[r] pu**fo**ming

Waar kan ik kaarten krijgen?
Where can I buy tickets?
we[r] ken ai bai **tik**kuts

◄ **Aan de kassa/bij het bespreekbureau**
At the box office/booking office
et ðu boks **of**fis/**boe**king **of**fis

Twee kaartjes voor de voorstelling van vanavond
Two tickets for tonight's show, please
toe **tik**kuts fo[r] toe**naits** sjoo, pliez

◄ **De voorstelling is uitverkocht**
The show is sold out
ðu sjoo iz soold out

pauze	intermission	inte[r]**mis**sjun
garderobe/vestiaire	cloakroom	**klook**roem
kassa	box office	boks **of**fis
première	premiere	**prum**je[r]
achteraan	in the back	in ðu bek
vooraan	in the front	in ðu front
in het midden	in the middle	in ðu **mid**dul
balkon	gallery	**ghel**lurrie
loge	box, loge	boks, loozj
zaal	stalls	stols

discotheek en nachtclub

Is hier een leuke nachtclub/discotheek?
Is there a good night club/discotheque around?
iz ðe[r] u ghoed **nait** klub/**dis**kootek u**round**

◄ **Dit is een besloten club**
This is a private club
ðis iz u **prai**vut club

Moet er entree betaald worden?
Do they charge an admission fee?
doe θee tsjartsj un et**mis**jun fie

Wat voor muziek wordt er meestal gedraaid?
What kind of music do they usually play?
wot kaind ov **mjoe**sik doe θee **joe**sjoewullie plee

Is het live muziek?
Is there live music?
iz ðe[r] laiv **mjoe**sik

Is er een goede d.j.?
Is there a good d.j.?
iz ðe[r] u ghoed **die**djee

Ga je mee naar de disco?
Would you like to go to the disco?
woed joe laik toe ghoo toe ðu **dis**koo

Wil je iets drinken?
Would you care for a drink?
woed joe ke[r] fo[r] u drink

Is er een pub met Engelse/Schotse/Ierse volksmuziek?
Is there a pub with English/Scottish/Irish folk music?
iz ðe[r] u pub wiθ **ing**lisj/**scot**tisj/**aai**risj fook **mjoe**zik

Wat een leuke/toffe/coole muziek
The music is far out/smashing/cool
ðu **mjoe**zik iz fa[r] out/**smesj**ing/koel

Laten we naar buiten gaan
Let's step out
lets step out

Kunnen we hier ook stijldansen?
Can we go ballroom-dancing here as well?
ken wie ghoo **bol**roem dansing he[r] es wel

Mag ik deze dans van u?
May I have this dance, please?
mee ai hev ðis dans, pliez

flirten en romantiek

Hallo, mag ik erbij komen zitten?
Hello, do you mind if I sit here?*/Can I sit here?
hel**lo**, doe joe maind if ai sit hie[r]/Ken ai sit hie[r]

* de beleefde vorm, letterlijk: Heb je er bezwaar tegen?
Het positieve antwoord is dus: No (I don't mind).

◄ **Nee, liever niet/Deze plek is al bezet**
Rather not/This seat is taken
raðu[r] not/ðis siet iz teken

Vind je het hier leuk?
Do you like it here?
doe joe laik it hie[r]

◄ **Ja, helemaal te gek!/Nee, ik verveel me**
Yeah, groovy!/No, it's boring
jèh, **ghroe**vie/no, it's **bo**ring

Heb je een vuurtje voor me?
Do you have a light for me?
doe joe hev u lait for mie

Ik kan je niet horen/verstaan
I can't hear/understand you
ai kaant hie[r]/under**stend** joe

Het is hier warm/vol/saai.
It's hot/crowded/boring in here.
its hot/**krouw**dud/**bo**ring in hie[r].

Zullen we naar buiten gaan?
Shall we go outside?
sjel wie gho out**said**

◀ **Nee, ik blijf liever hier/Ja, dat is goed**
No, I'd rather stay here/Yeah, that's OK
no, aid **ra**δu[r] stee hie[r]/jèh, δets o**kee**

Ik moet helaas nu gaan. Zullen we iets afspreken?
I have to go now. Shall we meet again?
ai hev toe gho nouw. sjel wie miet u**ghen**

Heb je al plannen voor morgen/vanavond?
Do you have any plans for tomorrow/tonight?
doe joe hev **en**nie plenz fo[r] toe**morr**oow/toe**nait**

Zullen we samen iets eten/drinken?
Shall we have a bite/drink together?
sjel wie hev u bait/drink toe**ghe**δu[r]

◀ **Laten we afspreken om negen uur bij (de) .../voor de ingang van ...**
Let's meet at nine at (the) .../at the doors of ...
lets miet et nain et (δu) .../et δu doorz of ...

Heb je een vaste vriend/vriendin?
Do you have a steady friend?
doe joe hev u **ste**di frend

◀ **Ik ben getrouwd/Ik heb kinderen**
I am married/I have children
ai em **merr**led/aai hev **tsjil**drun

◀ **Ik ben homo/lesbisch/hetero**
I am gay/lesbian/heterosexual
ai em ghee/**les**biun/hetero**seks**jual

Ben je hier alleen of met anderen?
Are you alone here or with other people?
a[r] joe u**loon** hie[r] o[r] wiθ **u**δu[r] **pie**pel

Wat doe je voor werk/Wat studeer je?
What do you do for a living/What are you studying?
wot doe joe do fo[r] u **li**ving/wot a[r] joe **studd**ijing

Hoe oud ben je?
How old are you?
houw oold a[r] joe

◀ **Je houdt me voor de gek**
You're fooling me
joe[r] **foe**ling mie

Kom je hier vaker?
Do you come here often?
doe joe kum hie[r] **off**en

Wat voor muziek vind je leuk?
What kind of music do you like?
wot kaind of **mjoe**zik doe joe laik

Wil je met me dansen?
Do you want to dance with me?
doe joe wont toe dens wiθ mie

Mag ik je een complimentje geven?
May I give you a compliment?
mee ai ghiv joe u **kom**pliment

◄ **Je maakt me verlegen**
You are making me shy
joe a[r] **mee**king mie sjai

◄ **Plaag me niet zo!**
Stop teasing me!
stop **tie**zing mie

Wat heb je mooie ogen/haar
You have beautiful eyes/hair
joe hev **bjoe**tifoel aiz/her

Volgens mij klikt het wel tussen ons
I think we are getting closer
ai θink wie a[r] **ghet**ting **klo**ser

Ik vind je erg aardig
I like you very much
ai laik joe **ver**rie mutsj

Ik moet de hele dag aan je denken
I am thinking of you all day
ai em θ**in**king of joe ol dee

Ik hou van je
I love you
ai luv joe

Ik ben gek op je
I am mad about you
ai em med u**bout** joe

Hoe lang blijf je nog in ...?
How long will you be staying in ...?
houw long wil joe bie **stee**jing in ...

Je ziet er goed/leuk uit
You're looking fine
joe[r] **loe**king fain

Die blos staat je goed
That blush suits you well
ðet blusj soets joe wel

Wat lach je leuk!
I like your smile!
ai laik joe[r] smail

◄ **Dank je wel**
Thank you
θenk joe

Ik vind je leuk/aantrekkelijk
I fancy you/I think you are attractive
ai **fen**sie joe/ai θink joe a[r] et**trek**tiv

Ik geloof dat ik verliefd op je ben
I think I am falling in love with you
ai θink ai em **fol**ling in luv wiθ joe

◄ **Echt waar?**
Really?/You are?
rielli/joe a[r]

◄ **Ik ook van jou**
I love you, too
ai luv joe toe

◄ **Ga alsjeblieft weg!**
Please go!
pliez gho

◄ Blijf van me af!
Keep your hands off me!
kiep joe[r] hendz of mie

Ik wil met je naar bed
I want to sleep with you
ai wont toe sliep wiθ joe

◄ Je loopt te hard van stapel
You're going too fast
joe[r] **gho**ing toe faast

◄ Niet hier
Not here
not hie[r]

Heb je een condoom bij je?
Do you have a condom?
doe joe hev u **con**dom

◄ Ik wil je niet meer zien
I don't want to see you again
ai doont wont toe sie joe u**ghen**

Ik vond het gezellig, maar ik hoef verder geen contact
I liked it, but I don't want any further contact
ai laikd it, but ai doont wont **en**nie **fu[r]**δu[r] **kon**tekt

Bedankt voor de leuke avond/nacht
Thank you for a wonderful evening/night
θenk joe fo[r] u **wun**derfoel **ie**vening/nait

◄ Dat is goed/Nee, daar begin ik niet aan
That's OK/No, I won't do that
δets o**kee**/no, ai woont doe δet

Zullen we samen naar het hotel/mijn kamer gaan?
Shall we go to the hotel/my room?
sjel wie gho toe δu ho**tel**/mai roem

◄ Nee, dat wil ik niet
No, that's out of the question
no, δets out of δu **kwes**tjun

◄ Misschien een andere keer
Maybe some other time
meebie sum uδur taim

◄ Ik wil alleen veilig vrijen
I only want safe sex
ai **oon**lie wont seef seks

Vond je het leuk/lekker?
Did you like it?
did joe laik it

◄ Het was geweldig
It was great
it woz ghreet

Mag ik je adres?
Can I have your address?
ken ai hev jo[r] ud**dres**

Ik neem wel contact op met jou
I will get in touch with you
ai wil ghet in tutsj wiθ joe

aids	AIDS	eedz
chlamydia	chlamydia	kla**mi**dia
condoom	condom	**kon**dom
HIV	HIV	eetsj-ai-vie
klaarkomen	come	kum
ongesteld	period	**pier**jud

penis	penis	**pie**nis
pil	pill	pil
strelen	caress`	ku**res**
vagina	vagina	vu**dzjai**nu
voorbehoedsmiddel	contraceptive	kontra**sep**tiv
vrijen	make love	meek luv

Ik zal je missen		**Tot morgen/Tot gauw**
I shall miss you		See you tomorrow/soon
ai sjel mis joe		sie joe toe**mor**roow/soen

uit met de kinderen

aquarium	aquarium	u**kwe**riejum
circus	circus	**su**kus
dierentuin	zoo	zoe
kinderboerderij	mini zoo	**min**ni zoe
museum voor kinderen	children's museum	**tsjil**druns mjoe**sie**jum
pretpark	amusement park	u**mjoes**munt pa[r]k
rondvaart	sightseeing cruise	**sait**siejing kroez
rondvlucht	round trip by plane	round trip bai pleen
speeltuin/speelweide	playground/play area	**plee**ground/plee **er**rieju
stoomtrein	steam train	**stiem**treen
terrarium	terrarium	ter**re[r]**iejum
waterpretpark	swimming pool and leisure centre	**swim**ming poel un **le**zjusentu
zwembad	swimming pool	**swim**ming poel

Hebt u ook een kindermenu?
Do you have a children´s menu?
doe joe hev u **tsjil**drens **men**joe

Is hier ook een crèche?	**Ik kom mijn kind om 5 uur ophalen**
Is there a day-care centre?	I will pick up my child at five o'clock
iz ðe[r] u dee-ke[r] **sen**te[r]	ai wil pik up mai tsjaild om faiv o-**klok**

babyfoon	babyphone	**bee**bifoon
commode	changing unit	**tsjeen**dzjing **joe**nit
fles	(feeding) bottle	(**fie**ding) **bot**tul
fopspeen	dummy	**dum**mie
kinderstoel	high chair	hai tsje[r]
slab	bib	bib

problemen in de stad

de weg vragen

Kunt u mij de weg wijzen naar de/het/een ... ?
Could you show me the way to the/a ... ?
koed joe sjoo mie ðu wee toe θu/u ...

bank	bank	benk
bushalte	bus stop	bus stop
busstation	bus terminal	bus **tu**minnul
centrum	centre	**sen**tu
dit adres	this address	ðis u**dres**
dokter	doctor	**dok**tu
kathedraal	cathedral	ku**θie**drul
markt	market	**ma[r]**kut
metrostation	tube/underground station	tjoeb/**un**derghround **stee**sjun
museum	museum	mjoe**sie**jum
openluchtmuseum	open-air museum	**oo**pun e[r] mjoe**sie**jum
politiebureau	police station	**po**lies-**stee**sjun
postkantoor	post office	**poost** offis
pretpark	amusement park	u**mjoes**munt pa[r]k
station	station	**stee**sjun
uitgang	exit	**ek**sit
VVV-kantoor	tourist information	**toe**rist info[r]**mee**sjun
ziekenhuis	hospital	**hos**pittul

◄ **Nee, ik ben hier helaas niet bekend**
No, I'm afraid I'm a stranger here
noo, aim u**freed** aim u **streen**dzju he[r]

◄ **U gaat hier ...**
From here you go ...
frum hie[r] joe ghoo ...

rechtuit	straight on	street on
rechtsaf	to the right	toe ðu rait
linksaf	to the left	toe ðu left
de hoek om	round the corner	round ðu **ko[r]**nu

◀ ... en dan tot aan ...
as far as/up to ...
es fa[r] es/up toe ...

de kruising	the crossing	ðu **kros**sing
het grote plein	the large square	ðu la[r]dzj skwe[r]
de rotonde	the roundabout	ðu **round**ubout
de brug	the bridge	ðu bridzj
de kerk	the church	ðu tsjurtsj
de eerste zijstraat rechts	the first turning on the right	ðu fu[r]st **tu[r]**ning on ðu rait
de derde zijstraat links	the third turning on the left	θu θu[r]d **tu[r]**ning on ðu left
aan uw linkerhand	on your left	on jo[r] left
aan uw rechterhand	on your right	on jo[r] rait
recht vóór u	right in front of you	rait in front uv joe
schuin aan de overzijde	accross the road	u**kros** ðu rood end
(links/rechts)	and a little to the left/right	u **lit**tul toe ðu left/rait
daarachter	behind/beyond that	bie**haind**/bie**jond** ðet
daarnaast	next to that	nekst toe ðet
na 200 meter/yard	200	toe **hun**dred
	meters/yards from here	**mie**terz/ja[r]ds frum hie[r]
een half uur lopen	half an hour on foot	haf un **ou**wu on foet
om de hoek	around the corner	u**round** ðu **ko[r]**nu

◀ **Vraag het dan nog maar een keer**
You'd better ask again from there
joed **bet**tu ask u**ghen** frum ðe[r]

Hoe ver is het lopen?
How far is it on foot?
hou fa[r] iz it on foet

Is het ver van hier?
Is it far from here?
iz it fa[r] frum he[r]

◀ **U kunt beter met bus nummer 4* gaan**
You had better take bus number 4
joe hed **bet**tu teek bus **num**bu 4

◀ **U kunt beter een taxi nemen**
You had better take a taxi/cab
joe hed **bet**tu teek u **tek**si/keb

Ik ben de weg kwijt
I am lost
aim lost

◀ **U bent verkeerd gelopen**
You have taken the wrong way
joev **tee**kun ðu rong wee

◀ **Men heeft u de verkeerde weg gewezen**
They've sent you in the wrong direction
θeev sent joe in ðu rong dai**rek**sjun

* Niet alle buslijnen hebben een nummer of letter; de metrolijnen hebben een naam
(bijv. Central Line) en een kleurcode.

Kunt u op de plattegrond aanwijzen waar ik nu ben?
Can you show me on the map where I am now?
ken joe sjoo mie on ðu mep we[r] ai em nou

◀ **U staat nu hier**
You are now here
joe a[r] nou he[r]

Kunt u een eindje met mij meelopen?
Could you walk part of the way with me?
koed joe wok pa[r]t uv ðu wee wið mie

er is iets gebeurd/bij de politie

Er is brand uitgebroken/een ongeluk gebeurd
A fire has broken out/There has been an accident
u **fai**-ju hez **broo**kun out/θe[r] hez bien un **ek**sident

Ik heb snel hulp nodig
I urgently need help
ai **u[r]**dzjuntlie nied help

Wilt u de politie/ambulance/brandweer bellen?
Would you please call the police/an ambulance/the fire brigade?
woed joe pliez kol ðu poo**lies**/un **em**bjoeluns/θu **fai**-ju bri**gheed**

Help! Houd de dief!
Help! Stop thief!
help! stop θief

Waar is het politiebureau?
Where is the police station?
we[r]z ðu poo**lies stee**sjun

Ik wil aangifte doen van ...
I'd like to report (a/an) ...
aid laik toe rie**po[r]t** (u/un) ...

aanranding	assault	us**soot**
afpersing	extortion	iks**to[r]**sjun
beroving/diefstal	robbery/theft	**rob**burrie/θeft
brandstichting	arson	**a[r]**sun
inbraak	breaking and entering	**bree**king un **en**turring
mishandeling	battery	**bet**turrie
openbreken van de auto	that my car has been broken into	ðet mai ka[r] hez bien **brook**un **in**toe
oplichting	fraud	frod
schade	damage	**dem**mudzj
verkrachting	rape	reep
verlies	loss	los
vernieling	vandalism	**ven**dullissum
winkeldiefstal	shoplifting	**sjop**lifting
zakkenrollerij	pickpocketing	**pik**pokkitting

Ik ben beroofd van mijn ... /heb mijn ... verloren
My ... has been stolen/I lost my ...
mai ... hez bien **stoo**lun/ai lost mai ...

autoradio	car radio	ka[r] **ree**diejo
bagage	luggage	**lugh**ghudzj
betaalpas	banker's card	**ben**kus ka[r]d
cheques	cheques	tsjeks
creditcard	credit card	**kred**dit ka[r]d
digitale camera	digital camera	**di**dzjitul **kem**meru
fototoestel	camera	**kem**murru
handtasje	hand bag	hend begh
koffer	suitcase	**soet**kees
mobiele telefoon	ell/mobile phone	sel/**mo**bail foon
paspoort	passport	**pas**po[r]t
pinpas	bank card	benk ka[r]d
portefeuille	wallet	**wol**lut
portemonnee	purse	pu[r]s
reisdocumenten	travel documents	**trev**vul **dok**joemunts
videocamera	video camera	**vid**dio **kem**meru

Mijn auto/fiets/caravan/aanhanger/scooter is gestolen
My car/bicycle/caravan/trailer/motor scooter has been stolen
mai ka[r]/**bai**sikkul/**ker**ruven/**tree**lu/**mo**to[r] **skoe**tu[r] hez bien **stoo**lun

Ik ben lastiggevallen
I have been harassed
aiv bien hur**rest**

Ik word achtervolgd
I am being followed
aim **bie**jing **fol**lood

◄ **Wilt u aangifte doen/een verklaring afleggen?**
Do you want to report a crime/make a statement?
doe joe wont toe riepo[r]t u kraim/meek u **steet**munt

◄ **Wij zullen proces-verbaal opmaken**
We will make a report
wie wil meek u rie**po[r]t**

◄ **Hebt u getuigen?**
Are there any witnesses?
a[r] ðe[r] **en**nie **wit**nussus

◄ **Wij kunnen er voorlopig niets aan doen**
We can't do anything just yet
wie kant doe **en**nieθing djust jet

◄ Wij zullen de zaak onderzoeken
We will take the matter into investigation
wie wil teek ðu **met**tu **in**toe investi**ghee**sjun

◄ U kunt navraag doen bij het bureau voor gevonden voorwerpen
You can inquire at the lost and found office
joe ken in**kwai**-ju et ðu lost un found **off**is

Wilt u dit formulier invullen/ondertekenen?
Would you fill in/sign this form?
woed joe fil in/sain ðis fo[r]m?

Ik kan het niet lezen
I can't read it
ai kant ried it

Kan er een tolk/vrouwelijke agent bijkomen?
I'd like to have an interpreter/see a police woman
aid laik toe hev un in**tu**pruttu/sie u po**lies woe**mun

Ik kan dit niet ondertekenen
I can't sign this
ai kant sain ðis

Ik trek de aangifte/verklaring in
I retract my report/statement
ai rie**trekt** mai rie**po[r]t**/**steet**munt

◄ Uw auto is weggesleept
Your car has been towed away
jo[r] ka[r] hez bien tood u**wee**

◄ U kunt hem daar afhalen
You can collect it there
joe ken ku**lekt** it ðe[r]

◄ Mag ik uw paspoort/rijbewijs/een legitimatie zien?
May I see your passport/driving license/ID?
mee ai sie jo[r] **pas**po[r]t/**drai**ving **lai**suns/ai die

◄ U moet mee naar het bureau
You must come along to the police station
joe must kom u**long** toe ðu po**lies stee**sjun

◄ U wordt verdacht van ... /gearresteerd wegens ...
You are suspected of ... /arrested for ...
joe a[r] su**spek**tud uv ... /ur**res**tud fo[r] ...

bezit van verdovende middelen	possession of drugs	pu**ze**sjun uv drughs
diefstal	theft	θeft
geweldpleging	an act of violence	un ekt uv **vai**-jooluns
illegale grensoverschrijding	having illegally entered the country	**hev**ving il**lie**ghullie **en**tud ðu **kun**trie

openbare dronkenschap	public drunkenness	**pu**blik **drun**kunnus
schuld aan een ongeval	being guilty of causing an accident	**bie**jing **ghilt**ie uv **ko**sing un **ek**sident
smokkel	smuggling	**smugh**ling
vernieling	vandalism	**ven**dullism
verstoring van de orde	violation of the public order	vai-joo**lee**sjun uv ðu **pu**blik **o[r]**du

◄ **U bevindt zich op verboden terrein**
You are trespassing
joe a[r] **tres**pussing

◄ **U mag hier niet fotograferen**
You're not allowed to take pictures here
jo[r] not u**loud** toe teek **pik**tjus he[r]

Ik wil een advocaat/iemand van de ambassade spreken
I'd like to see a lawyer/someone from the embassey
aid laik toe sie u **loi**-ju/sumwun from ðie **em**bussie

◄ **Wij nemen u in voorlopige hechtenis**
We're placing you under arrest
we[r] **plee**sing joe **un**du u**rest**

◄ **Wij nemen u in hechtenis**
We're taking you into custody
we[r] **tee**king joe **in**toe **kus**tuddie

◄ **U wordt voorgeleid**
You will have to go to court
joe wil hev toe ghoo toe ko[r]t

Ik ben onschuldig/heb hier niets mee te maken
I'm innocent/have nothing to do with this
aim **in**nussunt/hev **no**θing toe doe wiθ ðis

beklaagde	accused, defendant	u**kjoezd**, die**fen**dunt
kinderrechter	magistrate in a juvenile court	**med**zjistreet in u **djoe**vunail ko[r]t
officier van justitie	public prosecutor	**pu**blik **pros**sukjoetu
recherche	criminal investigation department	**krim**minul investi**ghee**sjun die**pa[r]t**munt
rechter	judge	djudzj
verdachte	suspect	**sus**pekt
verkeerspolitie	traffic police	**tref**fik poo**lies**
zedenpolitie	vice squad	vais skwod

hulp vragen

Ik heb (dringend) een dokter/tandarts nodig
I (urgently) need a doctor/dentist
ai (**u**dzjuntlie) nied u **dok**tu/**den**tist

Kunt u voor mij een dokter/ambulance bellen?
Could you call a doctor/ambulance for me?
koed joe kol u **dok**tu/**em**bjoeluns fo[r] mie

Waar is een eerstehulppost/de polikliniek?
Where can I find a first-aid post/outpatients' clinic?
we[r] ken ai faind u **fust**-eed poost/**out**peesjunts **klin**nik

Is er nachtdienst/weekenddienst?
Is there a night/weekend service?
iz ðe[r] u nait/wie**kend suv**vis

Ik wil een afspraak maken met de/een ...
I'd like to make an appointment with the/a ...
aid laik toe meek un up**pojnt**munt wið u/u ...

Wat is het alarmnummer?
What is the emergency number?
wot iz ðie ie**mur**dzjensi **num**bu[r]

Ik moet snel naar een ziekenhuis
I have to get to a hospital quickly
ai hev toe get toe u **hos**pittul **kwik**lie

Waar woont de dokter?
Where does the doctor live?
we[r] duz ðu **dok**tu liv

arts	doctor	**dok**tu
chirurg	surgeon	**sur**dzjun
gynaecoloog	gynaecologist	dzjainu**kol**lodzjist
(huis)arts	general practitioner, GP	**djen**nurrul prek**ti**sjunnu, djie pie
huidarts	dermatologist	dummu**tol**lodzjist
internist	internist	in**tu[r]**nist, in**tu**[r]nist
keel-, neus- en oorarts	ear, nose and throat specialist	e[r], noos un θroot **spe**sjullist
kinderarts	paediatrician	piedie**ju**tri**sj**un
oogarts	ophthalmologist	ofθel**mol**ludzjist
tandarts	dentist	**den**tist
uroloog	urologist	joe**rol**ludzjist
zenuwarts	neurologist	njoe**rol**ludzjist

Hoe laat heeft de dokter spreekuur?
When is the surgery open?
wen iz ðu **sud**zjurrie **oo**pun

Is de dokter aanwezig?
Is the doctor in?
iz ðu **dok**tu in

◀ **Bent u verzekerd?**
Do you have insurance?
doe joe hev in**sjoe**runs

Spreekt de dokter Duits of Frans?
Does the doctor speak German or French?
duz ðu **dok**tu spiek **dzju[r]**mun o[r] frensj

◀ **Wilt u in de wachtkamer plaats nemen?**
Would you please take a seat in the waiting room?
woed joe pliez teek u siet in ðu **wee**ting roem

◀ **Volgende patiënt!**
Next please!
nekst pliez

bij de arts/tandarts

Ik heb last van ...
I suffer from ...
ai **suf**fu frum ...

Ik voel pijn in mijn ...
My ... is hurting
mai ... iz **hu[r]**ting

Kunt u mij onderzoeken?
Could you examine me?
koed joe ik**zem**min mie

Ik kan mijn ... niet bewegen
I can't move my ...
ai kant moev mai ...

Ik ben gebeten door een hond/insect
I have been bitten by a dog/an insect
ai hev bien **bit**tun bai u dogh/un **insect**

Ik ben diabeticus/hartpatiënt/allergisch voor ...
I am a diabetic/have a heart condition/am allergic to ...
aim u dai-ju**bet**tik/hev u ha[r]t kun**di**sjun/em ul**lu**dzjik toe ...

Ik ben ... maanden zwanger
I'm ... months pregnant
aim ... monθs **pregh**nunt

Ik ben hiervoor al eerder behandeld/geopereerd
I have been treated/operated for this before
ai hev bien **trie**tud/ **op**purreetud fo[r] ðis bie**fo[r]**

106

◀ **Gaat u hier zitten/liggen**
Sit/Lie down here
sit/lai doun he[r]

◀ **U kunt zich daar uitkleden**
You can undress yourself overthere
joe ken un**dres** jo[r]**self** oovu**ðe[r]**

◀ **Hoe lang hebt u hier al last van?**
How long have you been suffering from this?
hou long hev joe bien **suf**furring frum ðis

◀ **Gebruikt u medicijnen?**
Do you use any medication?
doe joe joez **en**nie meddi**kee**sjun

◀ **Waar doet het pijn?**
Where does it hurt?
we[r] duz it hu[r]t

◀ **Doet dit pijn?**
Does this hurt?
duz ðis hu[r]t

◀ **Zucht eens diep**
Take a deep breath
teek u diep breθ

◀ **Inademen, langzaam uitademen**
Breathe in, than slowly breathe out
brieθ in, θen **sloo**lie brieθ out

◀ **U moet een röntgenfoto laten maken**
You should have an X-ray
joe sjoed hev un **eks**-ree

◀ **Ik moet u naar een specialist verwijzen**
I have to refer you to a specialist
ai hev toe rie**fu** joe toe u **spe**sjullist

◀ **U moet hiermee naar een ziekenhuis ...**
You need to go to a hospitul ...
joe nied toe ghoo toe u **hos**pittul ...

voor een bloedproef	for a blood test	fo[r] u blud test
voor een urinetest	for a urinalysis	fo[r] u joerin**nel**lissus
voor nader onderzoek	for further examinations	fo[r] **fu**ðu iksemmin**nee**sjuns

◀ **U moet een paar dagen rust houden**
You must rest for a few days
joe must rest fo[r] u fjoe deez

◀ **U moet een paar dagen in bed blijven**
You must stay in bed for a few days
joe must stee in bed fo[r] u fjoe deez

107

◄ U mag dit een paar dagen niet bewegen/gebruiken
You may not move/use this for a few days
joe mee not moev/joez ðis fo[r] u fjoe deez

◄ Het is niets ernstigs
It's nothing serious
itsθing **no**θing**see**riejus

◄ U lijdt aan ...
You are suffering from ...
joe a[r] **suf**furring frum ...

◄ Ik zal u een recept geven
I shall write out a prescription
ai sjel rait out u pri**skrip**sjun

◄ Ik geef u een pijnstiller/kalmerend middel/slaapmiddel
I'll give you a painkiller/sedative/sleeping pills
ail giv joe u **peen**killu/**sed**dutiv/**slie**ping pils

◄ U moet een tablet nemen ...
You must take a tablet ...
joe must teek u **teb**blut ...

op de nuchtere maag	on an empty stomach	on un **em**tie **stum**muk
3 x daags	three times a day	θrie taimz u dee
vóór elke maaltijd	before each meal	bie**fo** ietsj miel
na elke maaltijd	after each meal	**af**tu ietsj miel
vóór het slapengaan	before you go to bed	bie**fo** joe ghoo toe bed
met wat water	with some water	wiθ som **wot**tu

◄ Komt u over drie dagen nog eens terug
See me again in three days
sie mie u**ghen** in θrie deez

Ik heb ... /◄ U hebt ...
I have ... /You have ...
ai hev ... /joe hev ...

kiespijn/tandpijn	a toothache	u **toe**θeek
bloedend tandvlees	bleeding gums	**blie**ding ghums
ontstoken tandvlees	an inflammation of the gums	un influm**mee**sjun uv ðu ghumz
caries	caries	**kerr**i-ez
een zenuwontsteking	neuritis	njoe**rai**tis
een afgebroken tand	a broken tooth	u **broo**kun toeθ

108

Ik heb een vulling verloren/mijn kunstgebit gebroken
I lost a filling/broke my dentures
ai lost u filling/brook mai **den**tju[r]s

◄ **Ik moet deze kies trekken/vullen/boren**
I'll have to pull/fill/drill this tooth
ail hev toe poel/fil/dril ðis toeθ

◄ **Ik geef u een ...**
I'll give you a(n) ...
ail ghiv joe u(n) ...

fluorspoeling	fluoride rinse	**floe**wuraid rins
injectie	injection	in**djek**sjun
kroon	crown	kroun
noodvulling	temporary filling	**tem**poorerrie **fil**ling
verdoving	anaesthetic	ennis**θet**tik
wortelkanaalbehandeling	root canal treatment	roet ku**nel triet**munt
zenuwbehandeling	root canal work	roet ku**nel** wu[r]k

◄ **U moet hiermee de mond spoelen**
Rinse your mouth with this
rins jo[r] mouθ wiθ ðis

◄ **U moet na thuiskomst uw huisarts/tandarts/specialist raadplegen**
Consult your GP/dentist/specialist on returning home
kon**sult** jo[r] djie pie/**den**tist/**spe**sjullist on rie**tu[r]**ning hoom

◄ **U moet contant betalen**
You must pay cash
joe must pee kesj

Kan ik een bewijsje krijgen voor de verzekering?
Could I have a receipt for the insurance company?
koed ai hev u rie**siet** fo[r] ðie in**sjoe**runs **kom**punnie

lichaamsdelen

1 **achterhoofd**	occiput	**ok**sieput
* **anus**	anus	**ee**nus
2 **arm**	arm	a[r]m
3 **been**	leg	legh
4 **bil**	buttock	**but**tuk
5 **borst**	breast	brest
6 **borst(kas)**	chest	tsjest

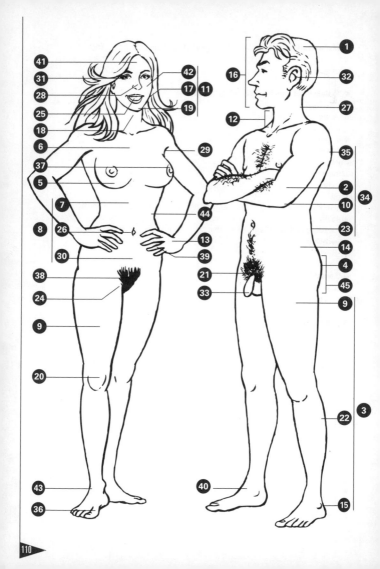

7	**bovenbuik**	upper abdomen epigastrium	**up**pu **ep**dummun, eppie**ghes**triejum
8	**buik**	abdomen	**ep**dummun
9	**dij**	thigh	θaj
10	**elleboog**	elbow	**el**boo
11	**gezicht**	face	fees
12	**hals**	neck	nek
13	**hand**	hand	hend
14	**heup**	hip	hip
15	**hiel**	heel	hiel
16	**hoofd**	head	hed
17	**kaak**	jaw	djo
18	**keel**	throat	θroot
19	**kin**	chin	tsjin
20	**knie**	knee	nie
21	**kruis**	crotch	krotsj
22	**kuit**	calf	kaf
23	**lende**	loin	lojn
24	**lies**	groin	ghrojn
25	**mond**	mouth	mouθ
26	**navel**	navel	**nee**vul
27	**nek**	nape	neep
28	**neus**	nose	noos
29	**oksel**	armpit	a[r]mpit
30	**onderbuik**	lower abdomen	**loo**wu **ep**dummun
31	**oog**	eye	ai
32	**oor**	ear	ə[r]
33	**penis**	penis	**pie**nis
34	**rug**	back	bek
35	**schouder**	shoulder	**sjool**du
36	**teen**	toe	too
37	**tepel**	nipple	**nip**pul
38	**vagina**	vagina	ve**dzjai**ne
39	**vinger**	finger	**fin**gu
40	**voet**	foot	foet
41	**voorhoofd**	forehead	**fo[r]**hed
42	**wang**	cheek	tsjiek
43	**wreef**	instep	**in**step
44	**zij**	flank	flenk
45	**zitvlak**	buttocks, backside	**but**tuks, **bek**said

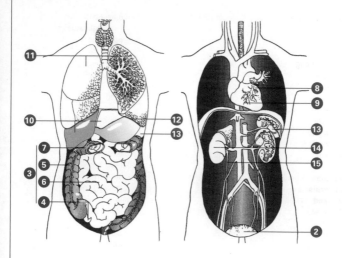

*Niet op tekening

*1	**alvleesklier**	pancreas	**peng**kriejus
2	**blaas**	bladder	**bled**du
3	**darm**	bowel, intestine	**bou**wul, in**tes**tin
4	**(blinde darm)**	appendix	u**pen**diks
5	**(dikke darm)**	large intestine	la[r]dzj in**tes**tin
6	**(dunne darm)**	small intestine	smol in**tes**tin
7	**galblaas**	gall bladder	ghol **bled**du
8	**hart**	heart	ha[r]t
9	**hartklep**	heart valve	ha[r]t velv
10	**lever**	liver	**liv**vu
11	**long**	lung	lung
12	**maag**	stomach	**stum**muk
13	**milt**	spleen	splien
14	**nier**	kidney	**kid**nie
15	**urineleider**	ureter	joe**rie**tu

achillespees	Achilles tendon	u**kil**liz **ten**dun
bekken	pelvis	**pel**vis
bilspier	gluteus maximus	ghloe**tie**jus **mek**simoes
borstkas	chest, thorax	tsjest, **θo**reks
bovenarm	upper arm	**up**pu a[r]m
buikspier	abdominal muscle	ep**dom**minnul **mus**sul
dijbeen	thighbone, femur	**θai**boon, **fie**mu
halswervel	cervical vertebra	**su**viekul **vu**tiebru
jukbeen	cheekbone	**tsjiek**boon
knieschijf	patella	pu**tel**lu
kuitbeen	fibula	**fib**joelu
kuitspier	sural muscle	**sjoe**rul **mus**sul
middenhandsbeentje	metacarpal bone	mettu**ka[r]**pul boon
middenvoetsbeentje	metatarsus	mettu**ta[r]**sus
neusbeen	nasal bone	**nee**zul boon
neusholte	nasal cavity	**nee**zul **kev**vittie
rib	rib	rib
rugspier	dorsal muscle	**do[r]**sul **mus**sul
schedel	skull	skul
scheenbeen	tibia, shinbone	**tib**bieju, **sjin**boon
schouderblad	scapula, shoulder blade	**skep**joelu, **sjool**du bleed
sleutelbeen	collar bone	**kol**lu boon
slokdarm	gullet	**ghul**lit
spier(stelsel)	muscular system	**mus**kjoelu **sis**tum
teen(kootje)	phalanx	**fel**lenks
tong	tongue	tung
trommelvlies	tympanic membrane	tim**pen**nik **mem**breen
vinger(kootje)	phalanx	**fel**lenks
wervelkolom	spine	spain

aambeien	haemorrhoids	**hem**murroids
abces	abscess	**ep**ses
AIDS	AIDS	eedz
allergie	allergy	**el**lu[r**]dzjie
angina	angina	en**dzjai**ne
astma	asthma	**es**mu
blindedarmontsteking	appendicitis	uppendie**sai**tis

bloeding	bleeding, haemorrhage	**blie**ding, **hem**murridzj
bloeduitstorting	bruise	broes
braakneigingen	qualms	kwams
brandwond	burns	bu[r]ns
buikgriep	gastroenteritis	ghestroo-entur**rai**tis
buikpijn	bellyache	**bel**lie-eek
diarree	diarrhoea	dai-jur**rie**ju
griep	flu	floe
hersenschudding	concussion	kun**ku**sjun
hoofdpijn	headache	**hed**-eek
infectie	infection	in**fek**sjun
insectenbeet	insect bite	**in**sekt bait
jeuk	itch	itsj
kaakontsteking	inflammation of the jaw	influm**mee**sjun ov ðu djo
keelontsteking	laryngitis	lerrin**dzjai**tis
kiespijn	toothache	**toeθ**-eek
koorts (38°)	fever	**fie**vu
kramp	cramp, spasm	kremp, **spez**um
longontsteking	pneumonia	njoe**moo**nieju
maagpijn	stomachache	**stum**muk-eek
maagzweer	ulcer	**ul**su
misselijkheid	nausea	**no**zieju
neerslachtigheid	depression	die**pres**jun
oogontsteking	ophthalmia/inflammation of the eye	of**θel**mia/inflem**mee**sjun of ðie aai
oorpijn	earache	**e[r]**-eek
rillerigheid	the shivers	ðu **sjiv**vus
rugpijn	backache	**bek**-eek
schaafwond	graze	ghreez
slapeloosheid	insomnia	in**som**nieju
spierpijn	sore muscles	so[r] **mus**suls
spit	lumbago	lum**bee**goo
tekenbeet	tick sting	tik sting
verkoudheid	cold	koold
verstopping	constipation	konsti**pee**sjun
voedselvergiftiging	food poisoning	foed **poj**sunning
voorhoofdsholteontsteking	sinusitis	sainu**sai**tis
wond	wound	woend
zonnebrand	sunburn	**sun**bu[r]n

◄ **Dit bot is gebroken/gescheurd/gekneusd**
This bone has been fractured/cracked/injured
ðis boon hez bien **frek**tjud/krekt/**in**dzjud

◄ **De spier is gescheurd/verrekt**
You've torn/pulled a muscle
joev to[r]n/poeld u **mus**sul

◄ **Dit moet worden ...**
This must be ...
ðis must bie ...

gehecht	stitched	stitsjt
geopereerd	operated on	**op**purreetud on
gespalkt	splint	splint
ingesmeerd	rubbed	rubd
verbonden	bandaged	**ben**didzjd
verwijderd	removed	rie**moevd**

bij de apotheek

(zie voor artikelen uit de handverkoop de rubriek 'Drogisterijartikelen' in het hoofdstuk 'Winkelen')

Is er een apotheek met nachtdienst/weekeinddienst?
Is there a pharmacy with a night/weekend service?
iz ðe[r] u **fa[r]**mussie wiθ u nait/wie**kend suv**vus

Kunt u dit recept voor mij klaarmaken?
Could you prepare this prescription for me?
koed joe prie**pe[r]** ðis pri**skrip**sjun fo[r] mie

opschriften

THIS MEDICINE AFFECTS	DIT MIDDEL BEÏNVLOEDT
YOUR ABILITY TO DRIVE	DE RIJVAARDIGHEID
KEEP OUT OF REACH OF CHILDREN	BUITEN BEREIK VAN
	KINDEREN HOUDEN
DO NOT INGEST/SWALLOW	NIET OM IN TE NEMEN

Wanneer kan ik het afhalen?
What time can I pick it up?
wot taim ken ai pik it up

◀ U kunt erop wachten
It can be prepared while you're waiting
it ken bie prie**pe[r]d** wail jo[r] **wee**ting

Wilt u een kwitantie uitschrijven?
Can you make out a receipt?
ken joe meek out u rie**siet**?

in het ziekenhuis

◀ U moet waarschijnlijk ... dagen blijven
You will probably have to stay for ... days
joe wil **pro**bublie hev toe stee fo[r] ... deez

◀ U wordt ... geopereerd
You will be operated on ...
joe wil bie **op**purreetud on ...

◀ U blijft alleen voor onderzoek
We will only run some tests on you
wie wil **oon**lie run sum tests on joe

◀ U mag ... weer het ziekenhuis verlaten
You may leave the hospital on ...
joe mee liev ðu **hos**pittul on ...

◀ U mag naar Nederland/België worden vervoerd
You can be transported to Holland/Belgium
joe ken bie trans**po[r]**tud toe **hol**lund/**bel**dzjum

Wanneer is het bezoekuur?
What time are visiting hours?
wot taim a[r] **vis**sitting **ou**wus

Mogen kinderen meekomen?
Can the children come along?
ken ðu **tsjil**drun kum u**long**?

◀ De patiënt mag geen bezoek ontvangen
The patient is not allowed to receive any visitors
ðu **pee**sjunt iz not u**loud** toe rie**siev en**nie **vis**situs

◀ U wordt hier opgenomen op de afdeling ...
You will be hospitalized in the ... ward
joe wil bie **hos**pittulaizd in θu ... wo[r]d

◀ U wordt poliklinisch behandeld
You will be treated in the outpatients' department
joe wil bie **trie**tud in ðie **out**peesjunts die**pa[r]t**munt

bij de bank

Waar kan ik een bank vinden?
Where can I find a bank?
we[r] ken ai faind u benk

Hoeveel pond krijg ik voor 100 euro?
How many pounds do I get for 100 euros?
hou **men**nie pounds doe ai get fo[r] wan **hun**drid **joe**rooz

Kunt u deze cheque verzilveren?
Could you cash this cheque?
koed joe kesj ðis tsjek

Het liefst in kleine coupures
I prefer money of small denominations
ai prie**fu mon**nie ov smol dinnommi**nee**sjuns

Graag 2 biljetten van 100 pond, 5 van 50 ...
I'd like to have 2 100 pound notes, 5 50 pound notes ...
aid laik toe hev toe wan **hun**dred pound noots, faif **fif**tie pound noots ...

... en de rest in kleingeld
... and the balance in small change
... end ðu **bel**luns in smol tsjeenzj

◄ **Mag ik uw paspoort/betaalpas zien?**
May I see your passport/banker's card?
mee ai sie jo[r] **pas**po[r]t/**ben**kus ka[r]d

◄ **Wilt u hier tekenen?**
Would you sign here, please?
woed joe sain he[r], pliez

Waar moet ik tekenen?
Where do I sign?
we[r] doe ai sain

◄ **U kunt het geld krijgen bij de kas**
You can collect the money from the cashier
joe ken kul**lekt** ðu **mon**nie frum ðu ke**sjie**

117

Brits geld

In heel Groot-Brittannië en Noord-Ierland wordt betaald met het **pound sterling** (aangegeven met het symbool £ en in het internationale bankverkeer met GBP). De naam sterling is afgeleid van de easterling, de betrouwbare munt van de Hanzesteden van vroeger. Elk pound (in het Nederlands: pond) is verdeeld in 100 **pence** (meervoud van penny, afgekort als p.). Er circuleren munten van 1, 2, 5, 10, 20 en 50 pence en van 1 pound; bankbiljetten (van de Bank of England) zijn er in coupures van 5, 10, 20 en 50 pounds. In het verleden rekende men niet met het tiendelig stelsel. Elk pond was verdeeld in 20 shillings en die weer in 12 pence (een bedrag van 4 shillings en 5 pence werd aangeduid als 4/5).

Jersey, Guernsey en Man, formeel onafhankelijke staten onder rechtstreeks bestuur van de Britse Kroon, hebben eigen munten en biljetten. Ook Noord-Ierland geeft eigen munten uit. In Schotland en Noord-Ierland hebben enkele banken het recht eigen bankbiljetten in omloop te brengen. Al deze munten en bankbiljetten hebben dezelfde waarde als de Britse; ze zijn officieel ook wettig betaalmiddel in de andere landsdelen, maar men neemt ze bijna nergens aan. Omgekeerd accepteert men zonder tegensputteren de Britse munten en bankbiljetten.

In de Republiek Ierland hanteert men de euro.

Is er geld voor mij overgemaakt?
Has there any money been transferred to me?
hez ðe[r] **en**nie **mon**nie bien trens**fu[r]d** toe mie

bankbiljetten	bank notes	benk noots
bankopdracht	bank order	benk **o[r]**du
bankprovisie	banker's commission	**ben**kus kom**mi**sjun
bedrag	amount, sum	u**mount**, sum
contant geld	cash	kesj
creditcard	credit card	**kred**dit ka[r]d
dagkoers	current rate, today's rate (of exchange)	**kur**runt reet, toe**deez** reet (uv iks**tsjeenzj**)
deviezen	foreign currency	**for**run **kur**runsie
effecten	stock	stok
euro	euros	**joe**rooz
formulier	form	fo[r]m

CHANGE	GELD WISSELEN
(HEAD)CASHIER'S DESK	(HOOFD)KAS
INFORMATION	INLICHTINGEN
LOANS	KREDIETEN
SAVINGS BANK	SPAARBANK
PAY-COUNTER	UITBETALINGEN

geldautomaat	cash dispenser/ATM	kesj dis**pen**su[r]/ee-tie-em
kasbewijs, kwitantie	receipt	rie**siet**
kleingeld	small change	smol tsjeenzj
legitimatie	identity papers	ai**den**tittie **pee**pus
loket	counter	**koun**tu
munten	coins	kojns
openingstijden	opening hours	**oo**punning **ou**wus
opnemen	to withdraw	toe wi**θ**dro
overmaken	to transfer	toe trens**fu**
overschrijvingsformulier	transfer form	trens**fu** fo[r]m
pinpas	bank/banker's card	benk/**ben**ke[r]z ka[r]d
reischeques	traveller's cheques	**tre**vullus tsjeks
rekening-courant	current account	**kur**runt u**kount**
spaarrekening	savings account	**see**vings u**kount**
storten	to deposit	toe die**pos**sit
wisselkoers	exchange rate	iks**tsjeenzj** reet

Hoeveel kan ik opnemen?
How much am I allowed to draw?
hou mutsj em ai u**loud** toe dro

Kan ik ook een lager bedrag invullen?
Can I also fill in a lower amount?
ken ai **ol**soo fil in u **loo**wu u**mount**

◄ **Mag ik uw betaalpas en uw paspoort zien?**
May I see you banker's card and your passport?
mee ai sie jo[r] **ben**kus ka[r]d end jo[r] **pas**po[r]t

◄ 119

Waar is het dichtstbijzijnde postkantoor?
Where is the nearest post office?
we[r] iz ðu **ne**rust **poost**offis

Waar is een brievenbus?
Where can I find a letter box?
we[r] ken ai faind u **let**tu boks

Kan ik hier cheques verzilveren?
Can I cash cheques here?
ken ai kesj tsjeks he[r]

◄ **Nee, hiervoor moet u bij het hoofdpostkantoor zijn**
No, you have to go to the main post office
noo, joe hev toe ghoo toe ðu meen **poost**offis

Hoeveel moet er op een brief/ansichtkaart naar Nederland/België?
How much is a stamp for a letter/postcard to Holland/Belgium?
hou mutsj iz u stemp fo[r] u **let**tu/**poost**ka[r]d toe **hol**lund/**bel**dzjum

Heeft u ook bijzondere postzegels?
Do you have any special stamps?
doe joe hev **en**nie **spe**sjul stemps

Drie zegels van 24 pence alstublieft
Three twenty-four pence stamps, please
θrie twentie-**fo[r]** pens stemps, pliez

Ik wil graag deze serie
I'd like to have this series
aid laik toe hev ðis **se**riez

◄ **Wilt u dit formulier invullen?**
Would you fill in/complete this form?
woed joe fil in/kum**pliet** ðis fo[r]m

REGISTERED MAIL	AANGETEKENDE STUKKEN
PHILATELY	FILATELIE
GIRO BANK	GIROBETAALKAARTEN
(HEAD) CASHIER	(HOOFD)KAS
INFORMATION	INLICHTINGEN
POSTE RESTANTE	POSTE RESTANTE
PARCEL POST	POSTPAKKETTEN
MONEY ORDERS	POSTWISSELS
TELEPHONE	TELEFOON
PAYMENTS	UITBETALINGEN

Ik wil een telegram verzenden
I'd like to send a cable
aid laik toe send u **kee**bul

Wat is het tarief per woord?
What's the rate per word?
wots ðu reet pu wu[r]d

aangetekend	registered	**re**dzjistud
afzender	sender	**sen**du
ansichtkaart	(picture) postcard	(**pik**tju) **poost**ka[r]d
brief	letter	**let**tu
briefkaart	postcard	**poost**ka[r]d
brievenbus	letter box, postbox	**let**tu boks, **poost**boks
drukwerk	printed matter	**print**ud **met**tu
exprespost	express post	iks**pres** poost
geadresseerde	addressee	eddres**sie**
gelukstelegram	congratulatory telegram	kun**gre**tjoelettorrie **tel**ligrem
kosten ontvanger	postage paid by addressee	**poost**idzj peed bai eddres**sie**
lichting	collection	kul**lek**sjun
luchtpost	air mail	e[r] meel
monster zonder waarde	sample	**sem**pul
post met ontvangstbevestiging	recorded mail	rie**ko[r]**dud meel
openingstijden	opening hours	**oo**punning **ou**wus
pakket	parcel	**pa[r]**sul
pakketpost	parcel post	**pa[r]**sul poost
postbus	PO box	pie oo boks
postcode	postal code	**poos**tul kood
postwissel	money order	**mon**nie **o[r]**du
postzegel	stamp	stemp
postzegelautomaat	stamp(-vending) machine	stemp(-**ven**ding) mus**jien**
telegram	cable, telegram, wire	**kee**bul, **tel**ligrem, **wa**ju

Waar is het telefoonkantoor?
Where is the telephone office?
we[r] iz ðu **tel**lufoon **of**fis

Waar is een telefooncel?
Where can I find a telephone booth/box?
we[r] ken ai faind u **tel**lufoon boeθ/boks

Waar kan ik telefoneren?
Where can I make a phone call?
we[r] ken ai meek u foon kol

Kan ik hier bellen met een creditcard?
Can I phone with a credit card?
k ai foon wiθ u **kre**dit ka[r]d

121

adresseren

De volgorde van het adres is gelijk aan die in Nederland. Voor de naam van heren wordt de titel Mr (mister) gebruikt, voor getrouwde vrouwen Mrs (oorspronkelijk een afkorting van mistress, uit te spreken als 'missiz', nooit onafgekort te gebruiken!), voor ongetrouwde vrouwen Miss. De afkorting Ms kunt u gebruiken als u geen onderscheid wilt maken tussen getrouwde en ongetrouwde vrouwen. Post aan een firma waarvan de naam bestaat uit persoonsnamen wordt gericht aan Messrs (afkorting van het Franse messieurs, uitspreken als 'messuz', nooit voluit!). 'Per adres' wordt geschreven als c/o (care of, letterlijk: onder de hoede van). De postcode bestaat uit een combinatie van letters en cijfers en komt ná de plaatsnaam. Bij kleine plaatsen zet men nog vaak de al dan niet afgekorte naam van het graafschap (county, afgekort als Co.) erbij; de postcode komt dan achter de naam van het graafschap. Het huisnummer komt vóór de straatnaam te staan. Als landnaam wordt soms UK (United Kingdom, Verenigd Koninkrijk) gebruikt in plaats van England, Scotland, Northern Ireland of Wales.

Mr Timothy Smith
c/o Messrs. Johnson & Poole
Trade Building, 2nd floor
24 Malbourn Crescent
NEWCASTLE-UPON-TYNE NE2 3TC
England

Ik wil een gesprek met Nederland/België voeren
I'd like to make a phone call to Holland/Belgium
aid laik toe meek u foon kol toe **hol**lund/**bel**dzjum

◀ **Cel 5 is vrij**
Booth number 5 is vacant
boeθ **num**bu faiv iz **vee**kunt

◀ **Dat duurt nog 30 minuten**
It will take 30 minutes
it wil teek 30 **min**nuts

◀ **U kunt zelf het nummer draaien**
You can dial the number yourself
joe ken **daj**ul ðu **num**bu jo[r]**self**

Hoeveel kost het gesprek per minuut?
How much is the call per minute?
hou mutsj iz ðu kol pu **min**nut

Hoeveel ben ik u schuldig?
How much do I owe you?
hou mutsj doe ai oo joe

Ik krijg geen verbinding
I can't get through
ai kant ghet θroe

Weet u het ...?
Do you know the ...?
doe joe noo θu ...

internationaal toegangsnummer	**international access code**	intun**ne**sjunnul **ek**ses kood
landnummer	**international dialing code, country code**	intun**ne**sjunnul **daj**ulling kood **kun**trie kood

De lijn is bezet/overbelast
The line is busy/I can't get through
ðu lain iz **bis**sie/ai kant ghet θroe

Ik krijg geen gehoor
There's no reply
ðe[r]s noo rie**plai**

De verbinding is slecht/verbroken
The line is bad/has been disconnected
ðu lain is bed/hez bien diskun**nek**tud

Kan ik met de heer/mevrouw Jones spreken?
Could I speak to Mr/Mrs Jones?
koed ai spiek toe **mis**tu/**mis**siz djoons

◄ **Blijft u aan de lijn**
Hold on please
hoold on pliez

◄ **Een moment a.u.b.**
One moment please
wan **moo**munt pliez

◄ **Ik verbind u door**
I'll put you through
ail poet joe θroe

◄ **Hij/zij is niet aanwezig**
He/she is not in
hie/sjie iz not in

Kan hij/zij mij terugbellen?
Can he/she call me back?
ken hie/sjie kol mie bek

abonneenummer	subscriber's number	sub**skrai**bu[r]s **num**bu
automatisch	direct	dai**rekt**
bezet	busy, engaged	**bis**sie, in**geed**zjd
centrale	telephone exchange	**tel**lufoon iks**tsjeenzj**
collectcall	collect/reverse-charge call	kol**lekt**/rie**vurz**tsjardzj kol
defect	out of order	out of **o[r]**du
gesprek	call	kol

interlokaal	trunk, long-distance	trunk, long-**dis**tuns
internationaal	international	intun**nes**junnul
inwerpen	insert	in**su[r]t**
mobiele telefoon	cell/mobile phone	sel/**mo**bail foon
netnummer	dialling code	**da**julling kood
lokaal	local	**loo**kul
munten	coins	kojns
opbellen	to (make a phone) call	toe (meek u foon) kol
opwaarderen	upgrade	**up**ghreed
provider	provider	pro**vai**du[r]
sms'en	sending a text message	**sen**ding u tekst **mes**sudzj
telefoonboek	telephone directory	**tel**lufoon dai**rek**turrie
telefooncel	telephone booth/box	**tel**lufoon boeθ/boks
telefoonkaart	telephone card/phonecard	**te**lefoon ka[r]d/**foon**ka[r]d
teruggave	refund	**rie**fund
wappen	wapping	**wep**ping

het Engelse telefoonalfabet

A	Alfred	**El**fred		N	Nellie	**Nel**lie
B	Benjamin	**Ben**djamin		O	Oliver	**Ol**livu[r]
C	Charles	Tsjarlz		P	Peter	**Pie**te[r]
D	David	**Dee**vid		Q	Queen	Kwien
E	Edward	**Ed**wa[r]d		R	Robbert	**Ro**bert
F	Frederick	**Fred**derik		S	Samuel	**Sem**joewel
G	George	Dzjordzj		T	Tommie	**Tom**my
H	Harry	**Her**rie		U	Uncle	**Un**kel
I	Isaac	**Aai**zaak		V	Victor	**Vic**to[r]
J	Jack	Djek		W	William	**Wil**jum
K	King	King		X	X-ray	**Eks**ree
L	London	**Lun**dun		Y	Yellow	**Jel**low
M	Mary	**Mè**rie		Z	Zebra	**Ze**bbrah

N.B.: De Nederlandse combinatie ij wordt altijd gespeld als i + j.

internet

Waar vind ik een internetcafé?
Where can I find a cybercafé/an Internet point?
we[r] ken ai faind u **saai**berkefee/un **in**ternet pojnt

Hoeveel kost het?
How much will it cost?
houw mutsj wil it kost

◀ **Het kost ... pond/pence per (half) uur**
It will cost ... pounds/pence per (half) hour
it wil kost ... poundz/pens pur (haaf) ouwe[r]

Het lukt niet om in te loggen
I can't log in
ai kaant logh in

Ik wil graag een paar pagina's uitprinten
I would like to print a few pages
ai woed laik toe print u fjoe **pee**dzjus

De PC is vastgelopen
The PC is stuck
ðu pie**sie** iz stuk

Ik denk dat er een virus in deze computer zit
I think there is a virus in this computer
ai θink ðe[r] iz u **vai**rus ðis kom**pjoe**tu[r]

◀ **Je mag hier niets downloaden**
You cannot download anything here
joe ken**not doun**lood **en**nieθing hie[r]

Kan ik hier een cd'tje branden?
Can I burn a CD here?
ken ai bu[r]ln u sie-**die** hie[r]

Kan ik op deze computer ook videobeelden bekijken?
Can I watch video images on this computer?
ken ai wotsj **vi**dio **im**medzjus un ðis kom**pjoe**tu[r]

Het geluid doet het niet
There is no sound
ðe[r] iz no sound

chatten	chatting	**tsjet**ting
e-mailen	sending an e-mail message	**send**ing un **ie**meel **mes**sudzj
gebruikersnaam	user's name	**joe**zu[r]z neem
homepage	homepage	**hoom**peedzj
inbelnummer	dial-in number	**dai**jul-in **num**bu[r]
routeplanner	routeplanner	**roet**plennu[r]
wachtwoord	password	**paas**wu[r]d
website	website	**web**sait

At the races
1 Elegantly dressed
2 Silk top hat
3 A modest car
4 A casual manner
5 A refreshing drink
6 A sure winner
7 The spectators
8 Riding breeches and riding boots
9 The whip
10 A colourful shirt

Bij de paardenrennen
Smaakvol gekleed
Hoge zijden hoed
Een bescheiden automobiel
Een nonchalante houding
Een verfrissend drankje
Een zekere winnaar
De toeschouwers
Rijbroek en rijlaarzen
De zweep
Een kleurig hemd

aan het strand, in het zwembad

Hoe ver is het naar het strand/zwembad?
How far is it to the beach/swimming pool?
hou fa[r] iz it toe ðu bietsj/**swim**ming poel

Mag hier worden gezwommen?
Is swimming allowed here?
iz **swim**ming u**loud** he[r]

◄ U mag hier niet zwemmen
You're not allowed to swim here
jo[r] not u**loud** toe swim he[r]

Is er een gevaarlijke stroming?
Is there a dangerous current?
iz ðe[r] u **deen**dzjurrus **kur**runt

Loopt het strand steil af?
Is the beach steep here?
z ðu bietsj stiep he[r]

Hoe diep is het hier?
How deep is the water here?
hou diep iz ðu **wo**tu he[r]

Hoe warm is het water?
What's the temperature of the water?
wots ðu **tem**prutju uv ðu **wo**tu

Is het hier gevaarlijk voor kinderen?
Is it dangerous here for children?
iz it **deen**dzjurrus he[r] fo[r] **tsjil**drun

Is er toezicht?
Is there any supervision?
iz ðe[r] **en**nie soepu**vi**zjun

De zee is kalm/woelig
The sea is calm/turbulent
ðu sie iz ka(l)m/**tu[r]**bjoelunt

Er zijn hoge golven
The waves are high
ðu weevz a[r] hai

Er komt storm
There is a storm coming up
θeerz u sto[r]m **kum**ming up

Mogen hier honden komen?
Are dogs allowed here?
a[r] doghs u**loud** he[r]

Ik kan niet zwemmen
I can't swim
ai kant swim

Het water is mij te koud
I find the water too cold
ai faind ðu **wo**tu toe koold

Hoeveel is de entree voor twee volwassenen en een kind?
How much is the entrance fee for two adults and one child?
hou mutsj iz ðu **en**truns fie fo[r] toe u**dults**/**ed**dults end wan tsjaild

BATHING BEACH	STRAND
OPEN TO THE PUBLIC	VRIJ TOEGANKELIJK
NO SWIMMING	ZWEMMEN VERBODEN
DANGEROUS CURRENT	GEVAARLIJKE STROMING
SWIMMING POOL	ZWEMBAD
(SWIMMING) POOL ATTENDANT	BADMEESTER
CHANGING CUBICLES	KLEEDHOKJES
TOILETS, LAVATORIES	TOILETTEN
SHOWERS	DOUCHES
LADIES	DAMES
GENTS	HEREN
NO DOGS ALLOWED	HONDEN NIET TOEGELATEN
CHILDREN'S POOL	KINDERBAD
NUDIST BEACH	NATURISTENSTRAND

Twee kaartjes a.u.b.
Two tickets please
toe **tik**kuts pliez

Een kinderkaartje a.u.b.
One child's ticket please
wan tsjailds **tik**kut pliez

Is hier een kinderbadje?
Is there a children's pool here?
iz ðe[r] u **tsjil**druns poel he[r]

Is het zwembad overdekt/onoverdekt/verwarmd?
Is it an indoor/open-air/heated pool?
iz it un **in**do[r]/**oo**pun-e[r]/**hie**tud poel

Ik wil graag ... huren
I'd like to rent ...
aid laik toe rent ...

badkleding	swimwear	**swim**we[r]
een ligstoel	a deck chair	u dek tsje[r]
een luchtbed	an air mattress	un e[r] **met**trus
een parasol	a sunshade/parasol	u **sun**sjeed/**per**russol
een waterfiets	a pedal boat	u **ped**dul boot

Wat kost dat per uur?
How much is it per hour?
hou mutsj iz it pu **ou**wu

Kunt u even op mijn spullen letten?
Could you keep an eye on my things?
koed joe kiep un ai on mai θings

badgast	bather	**bee**θu
badhanddoek	bathing towel	**bee**θing **tou**wul
badmeester	swimming pool attendant	**swim**ming poel ut**ten**dunt

badmuts	bathing cap	beeθing kep
(eendelig) badpak	swimsuit	**swim**soet
bikini	bikini	bie**kie**nie
branding	surf	su[r]f
douches	showers	**sjou**wus
eb	low tide	loow taid
fijn zand	fine sand	fain send
golfslagbad	swimming pool	**swim**ming poel
	with artificial waves	wiθ a[r]ti**ffis**jul weevz
kiezelstrand	pebbly beach	**peb**blie bietsj
kleedhokjes	changing cubicles	**tsjeen**zjing **kjoe**bikkuls
kwal	jellyfish	**djel**liefisj
openluchtbad	open-air swimming pool	**oo**pun-e[r] **swim**ming poel
reddingsbrigade	lifeguards	**laif**gha[r]dz
schelpen	shells	sjels
stenig strand	pebbly beach	**peb**blie bietsj
strandwandeling	walk along the beach	wok u**long** ðu bietsj
vloed	high tide	hai taid
waterglijbaan	chute	sjoet
watertemperatuur	water temperature	**wo**tu **tem**prutju
windscherm	wind screen	wind skrien
zandstrand	sandy beach	**sen**die bietsj
zwembroek	bathing/swimming trunks	**bee**θing/**swim**ming trunks

watersport

brandingsurfen	to surf	tue su[r]f
duiken	to dive	toe daiv
kanovaren	to canoe	toe ku**noe**
kitesurfen	kite surfing	kait **surf**ing
motorbootvaren	to sail in a motor boat	toe seel in u **moo**tu boot
parasailen	parasailing	**per**raseeling
raften	rafting	**ref**ting
roeien	to row	toe roo
snorkelen	snorkling	**snork**ling
wakeboarden	wake boarding	**week**boording
waterscooter	water scooter	**wot**tu[r]skoetu[r]
waterskiën	to go waterskiing	toe ghoo **wo**tu-skiejing
windsurfen	to go boardsailing	toe ghoo **bo**[r]dseeling
	(windsurfing)	(**wind**su[r]fing)
zeilen	to go sailing	toe ghoo **see**ling

Is hier een jachthaven?
Is there a marina nearby?
iz ðe[r] u mu**rie**nu ne[r]**bai**

Waar is het havenkantoor?
Where is the harbour master's office?
we[r] iz ðu **ha[r]**bu **mas**tus **of**fis

Wat kost hier een ligplaats?
How much for a berth?
hou mutsj fo[r] u burθ

Kan ik ... huren?
Can I rent ...?
ken ai rent ...

duikspullen	diving gear	**dai**ving ghe[r]
een motorboot	a motor boat	u **moo**tu boot
een roeiboot	a rowing boat	u **roo**wing boot
een surfplank	a surfboard	u **su[r]f**bo[r]d
waterski's	water skis	**wo**tu skies
een zeilboot	a sailing boat, a yacht	u **see**ling boot, u jot

Mag hier gedoken worden?
Is diving allowed here?
iz **dai**ving u**loud** he[r]

Is daar een vergunning voor nodig?
Is a permit required?
iz u **pu[r]**mit rie**kwa**jud

Is hier een surfschool/waterskischool/zeilschool?
Is there a surfing/waterskiing/sailing school here?
iz ðe[r] u **su[r]**fing/**wo**tu[r]skiing/**see**ling skoel hie[r]

Wat kost een les?
How much for a lesson?
hou mutsj fo[r] u **les**sun

boei	buoy	boj
buitenboordmotor	outboard motor	**out**bo[r]d **moo**tu
catamaran	catamaran	ketta**ma**ren
decompressiekamer	decompression chamber	diekom**pres**jun **tsjeem**bu
duikbril	diving mask	**dai**ving mask
flippers	flippers	**flip**pu[r]z
havenhoofd	jetty, mole	**djet**tie, mool
havenmeester	harbour master	**ha[r]**bu **mas**tu
ligplaats	berth	burθ
peddels	paddles	**ped**duls
reddingsboei	lifebuoy	**laif**boj
roeiboot	rowing boat	**roo**wing boot
roeiriemen	oars	o[r]s
snorkel	snorkel	**sno[r]**kul

speedboat	speedboat	**spied**boot
steiger	jetty, mooring	**djet**tie, **mo**ring
zeilboot	sailing boat, yacht	**see**ling boot, jot
zwemvest	life jacket	laif **djek**kut
zuurstoffles	oxygen cylinder	**ok**siedjin **sil**lindu

paardrijden

Is hier een manege/rijschool?
Is there a riding school around?
iz ðe[r] u **rai**ding skoel u**round**

Kan ik een paard/pony huren?
Can I rent a horse/pony?
ken ai rent u ho[r]s/**poo**nie

Kunnen kinderen hier les krijgen?
Are there lessons for children?
a[r] ðe[r] **les**suns fo[r] **tsjil**drun

Wat kost de huur/les per uur?
How much is the rent/a lesson per hour?
hou mutsj iz ðu rent/u **les**sun pu **ou**wu

Ik kan nog niet paardrijden
I can't ride yet
ai kant raid jet

Het paard is mij te wild
This horse is too wild for me
ðis ho[r]s iz toe waild fo[r] mie

een fiets huren

(zie ook onder 'Onderdelen van de fiets')

Waar kan ik een fiets huren?
Where can I rent a bike?
we[r] ken ai rent u baik

Wat kost dit per dag/uur?
How much is it a day/an hour?
hou mutsj iz it u dee/un **ou**wu

◄ **U moet een borgsom betalen**
You must pay a deposit
joe must pee u die**pos**sit

◄ **Kunt u zich legitimeren?**
Do you have any identification?
doe joe hev **en**nie aidentifi**kee**sjun

Ik wil een fiets met 3 versnellingen
I want a three-speed bike
ai wont u θ**rie**-spied baik

Kan de fiets op slot?
Can the bicycle be locked?
ken ðu **bai**sikkul bie lokt

Wilt u het zadel voor mij afstellen?
Could you adjust the saddle for me?
koed joe u**djust** ðu **sed**dul fo[r] mie

Het staat te hoog/te laag
It's too high/too low
its toe hai/toe loo

SPORT EN RECREATIE

Heeft u een fietskaart?
Do you have a cyclists' map?
doe joe hev u **sai**klists mep

Heeft u informatie over fietsroutes?
Do you have any information on cycle routes?
doe joe hev **en**nie info[r]**mee**sjun on **sai**kul roets

crossfiets	cross-country bike	kros**kun**trie baik
damesfiets	lady's bike/bicycle	**lee**dies baik/**bai**sikkul
fietshelm	crash helmet	**kresj**helmet
fietspomp	bicycle pump	**bai**sikkul pump
fietsslot	bicycle lock	**bai**sikkul lok
fietsverhuur	rent-a-bike	rent-u-baik
herenfiets	gent's bike/bicycle	dzjents baik/**bai**sikkul
kinderfiets	children's bicycle	**tsjil**druns **bai**sikkul
kinderzitje	child's seat	tsjailds siet
mountainbike	mountain-bike	**moun**tunbaik
ringslot	combination lock	kombi**nee**sjun lok
tandem	tandem	**ten**dum
terreinfiets	mountain bike	**moun**tun baik

wandelen/klimmen

abseilen	roping down	**ro**ping douwn
(af)dalen	descending	des**sen**ding
bergbeek	mountain stream	**moun**ten striem
berghut	mountain hut	**moun**ten hut
bergtop	mountain top	**moun**ten top
bergklimmen	(mountain) climbing/ mountaineering	(**moun**ten) **klaim**ing/ mounte**nie**ring
dal	valley (in Schotland: glen)	**vel**lie (ghlen)
gids	guide	ghaid
markering	marking	**ma**[r]king
klimhal	climbing hall	**klaim**ing hol
klimmen	climbing	**klaim**ing
kloof	crevice/gorge	**cre**vis/ghordzj
stijgen	ascending	as**sen**ding
rotsen	rocks	roks
route	route	roet
rugzak	rucksack	**ruk**sek
stijgijzers	crampons	**krem**punz
uitzichtpunt	viewpoint	**vjoew**pojnt
wandelpad	footpath	**foet**paaθ
wandelschoenen	walking shoes	**woh**king sjoez

golf

buggy	buggy	**bugh**ghie
club	club	klub
golfbaan	golf course	gholf koorz
green fee	green fee	ghrien fie
handicap	handicap	**hen**dikep
holes	holes	hoolz
parcours	track	trek
trolley	trolley	**trol**lie

andere takken van sport

Waar is de/het ...?
Where is the ...?
we[r] iz θu ...

draf- en renbaan	race track	rees trek
circuit	circuit	**suk**kit
golfbaan	golf course/links	gholf ko[r]s/links
klimhal	climbing hall	**klaim**ing hol
sporthal	sports hall/centre	spo[r]ts hol/**sen**tu
sportpark	sports park	spo[r]ts pa[r]k
tennisbaan	tennis court	**ten**nis ko[r]t
(voetbal)stadion	football stadium	**foet**bol **stee**diejum

Is er vandaag een leuke wedstrijd?
Is there an interesting match today?
iz ðe[r] un **in**turresting metsj toe**dee**

Hoe laat begint het?
What time does it start?
wot taim duz it sta[r]t

Een zitplaats/staanplaats a.u.b.
One seat/Terrace please
wan siet/**ter**rus pliez

Nederland/België speelt beter/slechter
The Dutch/Belgian team plays better/worse
ðu dutsj/**bel**dzjun tiem plees **bet**tu/wu[r]s

Wat een slechte scheidsrechter!
The referee is just awful!
du reffu**rie** iz djust **o**foel

aerobics	aerobics	e**ro**biks
atletiek	athletics	e**θlet**tiks
autosport	motor sports	**moo**tu spo[r]ts
badminton	badminton	**bed**mintun
basketbal	basketball	**bas**kitbol
bergbeklimmen	mountaineering	mounti**ne**ring
biljarten	billiards,	**bil**judz
(met meer ballen)	snooker	**snoe**ker
boksen	boxing	**bok**sing
bowling	(tenpin) bowling	(**ten**pin) **boo**ling
bungyjumpen	bungy jumping	**bun**dzjie **djum**ping
cricket	cricket	**krik**kit
drafsport/rensport	trotting/(horse) racing	**trot**ting/(ho[r]s) **ree**sing
fitness	fitness training	**fit**nes **tree**ning
golf	golf	gholf
handbal	handball	**hend**bol
(ijs)hockey	(ice)hockey	(ais)**hok**kie
inline skaten	in-line skating	**in**lain **ske**ting
joggen	jogging	**djogh**ghing
judo	judo	**djoe**doo
karate	karate	kur**raa**tie
korfbal	korfball	**ko[r]f**bol
motorsport	motor sports	**moo**tu spo[r]ts
paardrijden	riding	**rai**ding
paragliding/parapente	paragliding	pera**ghlai**ding
roeien	rowing	**roo**wing
rugby (13-tallen)	rugby league	**rugh**bie liegh
rugby (15-tallen)	rugby union	**rugh**bie **joen**jun
schaken	chess	tsjes
schermen	fencing	**fen**sing
tafeltennis	table tennis	**tee**bul **ten**nis
tennis	tennis	**ten**nis
voetbal	football, (buiten GB:) soccer	**foet**bol, **sok**ku
volleybal	volleyball	**vol**liebol
wielrennen	bicycle racing	**bai**sikkul **ree**sing
zwemmen	swimming	**swim**ming

134

blessuretijd	stoppage time	**stop**pidzj taim
buitenspel	offside	ofsaid
doel	goal	ghool
doelpunt	goal	ghool
gele kaart	yellow card	**jell**oo ka[r]d
gelijk spel	draw, tie	dro, tai
grensrechter	linesman	**lains**mun
hoekschop	corner	**ko[r]**nu
keeper	goal keeper	ghool **kie**pu
lijnrechter	linesman	**lains**mun
middenveldspeler	midfield player	mid**field plee**ju
nederlaag	defeat	die**fiet**
overwinning	victory	**vik**turrie
pauze	break, half-time	breek, haf-taim
rode kaart	red card	red ka[r]d
scheidsrechter	referee, umpire	reffu**rie**, **um**paju
speelhelft (tijd)	half	haf
spits	forward line	**fo**wud lain
strafschop	penalty (kick)	**pen**nultie (kik)
(hoofd)tribune	(grand)stand	(ghrend)stend
verdediging	defence	die**fens**
verlenging	extra time	**ek**stru taim
vrije schop	free kick	frie kik
wedstrijd	game, match	gheem, metsj

ontspannen

massage	massage	mes**saazj**
sauna	sauna	**soh**na
zonnebank/solarium	solarium	so**le**rium
Turks stoombad	Turkish steam bath	**tu[r]**kisj stiembaaθ
bubbelbad	jacuzzi	dje**koet**zie
badhuis	public baths	**pu**blik baaθs

Naast deze kent men in Groot-Brittannië enkele min of meer typisch Britse sporten als bowling (niet ons spel met 10 kegels, dat hier tenpin bowling heet, maar iets dat verwant is aan het jeu de boules), croquet (met een houten hamer ballen onder poortjes door slaan), sheep dog trials (waarbij een hond een kudde schapen bijeen moet drijven), allerlei vormen van drijfjacht (honden en jagers op zoek naar een vossenspoor) en greyhound racing (windhondenrennen).

In Ierland stromen duizenden toeschouwers bijeen voor een spel Gaelic football (een soort rugby met een ronde bal en minder strenge regels) of hurling (ook een soort rugby maar dan met een kleine bal, die met een lepelachtige stick wordt geslagen of gedragen). Het is heel gewoon op de uitslagen van wat voor soort wedstrijd dan ook een weddenschap af te sluiten. Dit gebeurt bij de bookmaker; deze heeft een kantoor in de stad of opereert (althans bij windhonden- en paardenrennen) langs de renbaan.

Een bekende verschijning in de straten van alle Engelse steden is de (ongewapende) politieagent met zijn opvallende, enigszins ouderwetse helm. De police constable wordt in de volksmond bobby genoemd.

Die naam herinnert aan de stichter van het Londense politiecorps Sir Robert Peel ('Bobby' voor zijn vrienden). De bijnaam peeler (ook ontstaan dankzij Robert Peel) is wat uit de mode geraakt, evenals copper (naar de koperen uniformknopen), dat als cop in de Amerikaanse volkstaal terecht is gekomen.

Tegenwoordig vinden ook veel immigrants, zoals Asians en West Indians, een baan bij de politie, vooral in de stadswijken met een groot aantal aliens (vreemdelingen).

Waar vind ik hier een winkelstraat/supermarkt/winkelcentrum?
Where do I find a shopping street/supermarket/shopping centre?
we[r] doe ai faind u **sjop**ping strict/**soe**puma[r]kit/**sjop**ping **sen**tu

Hoe laat gaan de winkels hier open/dicht?
What time do the shops open/close?
wot taim doe ðu sjops **oo**pun/klooz

Is er een middagpauze/koopavond?
Do they close for lunch/Are they open at night?
doe θee klooz fo[r] lunsj/a[r] θee **oo**pun et nait?

Is er een winkel die op zondag/'s avonds open is?
Is there a shop which is open on sundays/at night?
iz ðe[r] u sjop witsj iz **oo**pun on **sun**deez/et nait?

Waar vind ik een markt/vlooienmarkt?
Where do I find a market/flee market?
we[r] doe ai faind u **ma[r]**kut/flie **ma[r]**kut?

gesprekken met het winkelpersoneel

◄ **Kan ik u ergens mee helpen?**
Can I help you?
ken ai help joe

Ik kijk zo maar wat rond
I am only browsing
aim **oon**lie **brou**zing

Heeft u voor mij een ...?
Do you have a ... for me?
doe joe hev u ... fo[r] mie

Heeft u ook ...?
Do you also sell ...?
doe joe **ol**soo sel ...

◄ **Nee, dat hebben wij niet/dat is helaas uitverkocht**
No, we don't sell that/I'm afraid it's sold out
noo, wie doont sel ðet/aim u**freed** its soold out

Nederlands - Engels

AANBIEDING	SPECIAL OFFER
ANTIEK	ANTIQUES
APOTHEEK	DISPENSING CHEMIST'S
BAKKERIJ	BAKERY
BANKET	CONFECTIONARY
BIJOUX	JEWELS
BLOEMEN	FLOWERS
BOEKEN	BOOKS
BOEKHANDEL	BOOKSHOP
BROOD	BREAD
CADEAUARTIKELEN	GIFTS
CHEMISCH REINIGEN	DRY-CLEANER
CURIOSA	BRIC-A-BRAC
DAMESKAPPER	LADIES' HAIRDRESSER
DAMESKLEDING	LADIES' WEAR
DEKENS	BLANKETS
DELICATESSENHANDEL	DELICATESSEN
FRUIT	FRUIT
GEOPEND	OPEN
GESLOTEN	CLOSED
GLAS	GLASSWARE
GOUD(SMID)	GOLD(SMITH)
GROENTEHANDEL	GREENGROCER'S
HANDWERK	HANDICRAFT
HERENKAPPER	BARBER
HERENKLEDING	MEN'S WEAR
HORLOGER	WATCHMAKER
INGANG	ENTRANCE
JUWELEN	JEWELRY
KANTOORBOEKHANDEL	STATIONER
KAPPER	HAIRDRESSER
KINDERKLEDING	CHILDREN'S WEAR
KLEERMAKER	TAILOR
KUNSTNIJVERHEID	ARTS AND CRAFTS
LEDERWAREN	LEATHER GOODS
MELKHANDEL	DAIRY
MEUBELS	FURNITURE
MUNTEN	COINS
OPTICIEN	OPTICIAN

OVERHEMDEN	(MEN'S) SHIRTS
PAPIERWAREN	STATIONERY
PORSELEIN	CHINA
POSTZEGELS	STAMPS
REISARTIKELEN	TRAVEL SUPPLIES
REISBUREAU	TRAVEL AGENCY
ROOKWAREN	TOBACCO
SCHOENEN	SHOES
SCHOENMAKER	COBBLER
SCHOONHEIDSSALON	BEAUTY PARLOUR
SLAGER	BUTCHER
SLIJTERIJ	OFF-LICENCE
SPEELGOED	TOYS
STOMERIJ	DRY-CLEANER'S
TWEEDEHANDS ARTIKELEN	SECOND HAND GOODS
TIJDSCHRIFTEN	MAGAZINES
UITGANG	EXIT
UITVERKOCHT	SOLD OUT
UITVERKOOP	SALE
VISHANDEL	FISHMONGER'S
VLEESWAREN	COLD MEATS
WARENHUIS	DEPARMENT STORE
WASSERETTE	LAUNDERETTE
WERKDAGEN	WEEKDAYS
WONINGINRICHTING	HOME FURNISHINGS
WIJNHANDEL	WINE SHOP
IJZERWAREN	HARDWARE
ZON- EN FEESTDAGEN	SUNDAYS AND PUBLIC HOLIDAYS

Heeft u een andere ...?
Do you have another ...?
doe joe hev un**u**θu ...

Dit/Deze neem ik
I'll take this one
ail teek ðis wan

Dat is mij te duur
That's too expensive for me
θets toe iks**pen**siv fo[r] mie

Wat kost dit/deze?
How much is this one?
hou mutsj iz ðis wan

Dit/deze past mij niet
This one doesn't fit
ðis wan **duzz**unt fit

Heeft u iets goedkopers?
Do you have anything cheaper?
doe joe hev **en**nieθing **tsjie**pu

ANTIQUES	ANTIEK
ARTS AND CRAFTS	KUNSTNIJVERHEID
BAKERY	BAKKERIJ
BARBER	HERENKAPPER
BEAUTY PARLOUR	SCHOONHEIDSSALON
BLANKETS	DEKENS
BOOKS	BOEKEN
BOOKSHOP	BOEKHANDEL
BREAD	BROOD
BRIC-A-BRAC	CURIOSA
CHILDREN'S WEAR	KINDERKLEDING
CHINA	PORSELEIN
CLOSED	GESLOTEN
COBBLER	SCHOENMAKER
COINS	MUNTEN
COLD MEATS	VLEESWAREN
CONFECTIONARY	BANKET
DAIRY	MELKHANDEL
DELICATESSEN	DELICATESSENHANDEL
DEPARTMENT STORE	WARENHUIS
DISPENSING CHEMIST'S	APOTHEEK
DRY-CLEANER'S	STOMERIJ
DRY-CLEANING	CHEMISCH REINIGEN
ENTRANCE	INGANG
EXIT	UITGANG
FISHMONGER'S	VISHANDEL
FLOWERS	BLOEMEN
FRUIT	FRUIT
FURNITURE	MEUBELS
GIFTS	CADEAUARTIKELEN
GLASSWARE	GLAS
GOLD(SMITH)	GOUD(SMID)
GREENGROCER'S	GROENTEHANDEL
HAIRDRESSER	KAPPER
HANDICRAFT	HANDWERK
HARDWARE	IJZERWAREN
HOME FURNISHINGS	WONINGINRICHTING
JEWELRY	JUWELEN
JEWELS	BIJOUX
LADIES' HAIRDRESSER	DAMESKAPPER

LADIES' WEAR	DAMESKLEDING
LAUNDERETTE	WASSERETTE
LEATHER GOODS	LEDERWAREN
MAGAZINES	TIJDSCHRIFTEN
MEN'S SHIRTS	OVERHEMDEN
MEN'S WEAR	HERENKLEDING
OFF-LICENCE	SLIJTERIJ
OPEN	OPEN
OPTICIAN	OPTICIEN
SALE	UITVERKOOP
SECOND HAND GOODS	TWEEDEHANDS ARTIKELEN
SHIRTS	OVERHEMDEN
SHOES	SCHOENEN
SOLD OUT	UITVERKOCHT
SPECIAL OFFER	AANBIEDING
STAMPS	POSTZEGELS
STATIONER	KANTOORBOEKHANDEL
STATIONERY	PAPIERWAREN
SUNDAYS AND PUBLIC HOLIDAYS	ZON- EN FEESTDAGEN
TAILOR	KLEERMAKER
TOBACCO	ROOKWAREN
TOYS	SPEELGOED
TRAVEL AGENCY	REISBUREAU
TRAVEL SUPPLIES	REISARTIKELEN
WATCHMAKER	HORLOGER
WEEKDAYS	WERKDAGEN
WINE SHOP	WIJNHANDEL

Hij/het is te ...
It's too ...
its toe ...

breed	wide	waid
klein	small	smol
kort	short	sjort
lang	long	long
nauw	tight	tait
smal	narrow	**ner**roo
wijd	loose	loes

Wilt u het voor me inpakken?
Could you wrap it for me?
koed joe rep it fo[r] mie

Kan dit rechtstreeks naar Nederland/België worden gestuurd?
Could this be sent directly to Holland/Belgium?
koed ðis bie sent dai**rekt**lie toe **hol**lund/**bel**dzjum

Dit is het adres
This is the address
ðis iz ðie u**dres**

◄ **Nog iets van uw dienst?**
Do you want anything else?
doe joe wont **en**nieðing els

Nee dank u, dit was het
No thank you, that will be all
noo θenk joe, ðet wil bie ol

◄ **U kunt betalen aan de kassa**
You can pay at the cash register
joe ken pee et ðu kesj **re**dzjistu

◄ **U kunt het binnen 8 dagen ruilen**
You can change it within 8 days
joe ken tsjeenzj it wi**θin** eet deez

Kan ik betalen met een creditcard?
Can I pay with a credit card?
ken ai pee wiθ u **kred**dit ka[r]d

◄ **Hebt u hier een rekening?**
Do you have an account here?
doe joe hev un u**kount** he[r]

Ik wil dit graag ruilen
I'd like to exchange this
aid laik toe iks**tsjeenzj** ðis

Hier is de kassabon
Here is the receipt
he[r]z ðu rie**siet**

◄ **U kunt dit doen bij de klantenservice**
You can exchange this at the customer service
joe ken iks**tsjeenzj** ðis et ðie **kus**tommu **suv**vis

Kan ik het geld terugkrijgen?
Could I have a refund?
koed ai hev u **rie**fund

◄ **Nee, u krijgt een tegoedbon**
No, you will receive a credit note
noo, joe wil rie**siev** u **kred**dit noot

kleuren, variëteiten

Zie de lijst onder de kop 'Kleding en schoeisel'

maten, gewichten, hoeveelheden

Grammen, ponden, kilo's, liters en meters zijn in Groot-Brittanië onbekend; zie voor de afwijkende maten en gewichten onder de kop 'Engelse standaardmaten en -gewichten' in het hoofdstuk 'Algemene uitdrukkingen'.

een doos	a box	u boks
een blik	a tin, can	u tin, ken
een pak	a package	u **pek**kidzj
één stuk	one piece	wan pies
een paar	a pair	u pe[r]
een set	a set	u set
een fles	a bottle	u **bot**tul
een rol	a roll	u rool
een tube	a tube	u tjoeb
een zak	a bag	u begh

levensmiddelen, groenten, fruit, enz.

(zie ook het hoofdstuk 'Eten en drinken' en 'Reis- en kampeerartikelen')

aardappelen	potatoes	pu**tee**toos
abrikozen	apricots	**ee**prikkots
appels	apples	**ep**puls
augurken	pickles	**pik**kuls
azijn	vinegar	**vi**negha[r]
bananen	bananas	bun**naa**nas

bier	beer	be[r]
boter	butter	**but**tu
brood	bread	bred
broodjes	rolls	rools
chocolade	chocolate	**tjok**lut
conserven	tinned food	tind foed
druiven	grapes	ghreeps
eieren	eggs	eghs
frambozen	raspberries	**raz**burries
frisdranken	soft drinks	soft drinks
gebak	pastry	**pees**trie
haantje	chicken	**tsjik**kun
ham	ham	hem
hamburger	hamburger	**hem**bughu
ijs	ice cream	ais kriem
kaas	cheese	tsjiez
kassa	cash register	kesj **re**dzjistu
kersen	cherries	**tsjer**ries
kip	chicken	**tsjik**kun
koek	cake	keek
koekjes	biscuits	**bis**kuts
koffie	coffee	**kof**fie
oploskoffie	instant coffee	**in**stunt **kof**fie
filterkoffie	filter coffee	**fil**tu **kof**fie
koffiefilter	coffee filter	**kof**fie **fil**tu[r]
kruiden	herbs	hurbz
kwark	cottage cheese	**kot**tudzj tsjiez
lucifers	matches	**met**sjus
mayonaise	mayonnaise	meejun**neez**
meel	flower	**flou**wu
(volle) melk	(whole) milk	(hool) milk
karnemelk	buttermilk	**but**tu-milk
halfvolle melk	low-fat milk	loo-fet milk
meloen	melon	**mel**lun
suikermeloen	honeydew melon	**hun**iedjoe **mel**lun
watermeloen	water melon	**wo**tu **mel**lun
mineraalwater	mineral water	**min**urrul **wo**tu
mosterd scherp/mild	mustard spicy/mild	**mus**tud **spai**sie/maild
olie	oil	ojl
pasta	pasta	**pas**ta
peren	pears	pe[r]z
perzik	peach	pietsj

souvenirtips

Wat kunt u zoal meenemen als aandenken aan uw verblijf in Groot-Brittannië? Als u in Londen bent, zult u overspoeld worden met soms leuke, maar soms ook wat afgezaagde souvenirs. Als u liever iets authentiek Brits mee naar huis neemt, denk dan eens aan het beroemde Engelse porselein (dat echter niet veel goedkoper is dan in Nederland) en de lamswollen en Shetland-truien. Engelse boeken zijn in Groot-Brittannië veel goedkoper dan in Nederland en ook de prijzen van grammofoonplaten en CD's liggen iets lager. Verder kunt u natuurlijk typisch Engelse levensmiddelen meenemen zoals thee, marmelade, speciale koekjes, chutney, gin, etc. In de vele winkels van de National Trust, die u over het hele land verspreid vindt, kunt u leuke cadeautjes kopen in de bekende Engelse country style (bijvoorbeeld uitgevoerd met landelijke motieven of in een dessin met kleine bloemetjes). De opbrengsten van deze winkels komen ten goede aan het onderhoud van prachtige oude huizen, kastelen en andere monumenten in het land.

plastic zak	plastic bag	**ples**tik begh
room	cream	kriem
zure room	sour cream	**sou**wu kriem
slagroom	whipped cream	wipt kriem
salade	salad	**sel**lud
servetten	napkins	**nep**kins
sinaasappels	oranges	**or**rundzjuz
sla	lettuce	**let**tus
snoep	candy	**ken**die
soep	soup	soep
suiker	sugar	**sjoe**ghu
thee	tea	tie
theezakjes	tea bags	tie beghs
tomaten	tomatoes	too**maa**toos
vleeswaren	cold meats	koold miets
vruchtensap	fruit juice	froet djoez
winkelwagentje	trolley	**trol**lie
wijn	wine	wain
yoghurt	yoghurt	**joo**ghut
zout	salt	solt
zuivelwaren	dairy products	**de**rie **prod**dukts

(zie ook onder 'Bij de kapper', 'In de schoonheidssalon' en 'Bij de apotheek')

Heeft u een middel tegen ...?
Do you have a remedy against ...?
doe joe hev u **rem**middie u**gheenst** ...

brandwonden	burns	bu[r]nz
diarree	diarrhoea	dajur**rie**ju
griep	the flue	ðu floe
hoest	coughing	**kof**fing
hoofdpijn	headache	**hed**dek
hooikoorts	hay fever	hee **fie**vu
insectenbeten	insect bites	**in**sekt baits
keelpijn	a sore throat	u so[r] θroot
koorts	fever	**fie**vu
maag- en darmstoornissen	gastrointestinal disorders	ghestroo-in**tes**tinnul diso[r]dus
oorpijn	earache	**eer**ek
verkoudheid	a cold	u koold
wagenziekte	carsickness	**ka[r]**siknus
wondinfectie	wound infection	woend in**fek**sjun
zonnebrand	sunburn	**sun**bu[r]n

◄ **Dat is alleen verkrijgbaar bij een apotheek/op recept**
This is only available at the dispensing chemist's/on prescription
ðis iz oonlie u**vee**lubbul et ðu dis**pen**sing **kem**mists/on pri**skrip**sjun

◄ **U kunt beter eerst een arts raadplegen**
You'd better first consult a doctor
joed **bet**tu fust kon**sult** u **dok**tu

◄ **Dit mag niet aan kinderen verkocht worden**
This may not be sold to children
ðis mee not bie soold toe **tsjil**drun

◄ **Dit middel beïnvloedt de rijvaardigheid**
This medicine affects one's ability to drive
ðis **med**sin u**fekts** wans u**bil**littie toe draiv

◄ **Dit is giftig/brandbaar/gevaarlijk voor kinderen**
This is toxic/inflammable/dangerous to children
ðis iz **tok**sik/in**flee**mubbul/**deen**dzjurrus toe **tsjil**drun

aftershave	aftershave (lotion)	**af**tusjeev (**loo**sjun)
borstel	brush	brusj
condoom	condom	**kon**dom
deodorant	deodorant	die**joo**durrunt
eau de cologne	eau de Cologne	oo du kul**loon**
fopspeen	dummy	**dum**mie
haarborstel	hairbrush	**he[r]**brusj
hoestdrank	cough mixture	kof **miks**tju
huidcrème	skin cream	skin kriem
jodium	iodine	**ai**-juddien
kalmeringsmiddel	sedative	**sed**duttiv
kam	comb	koom
keelpastilles	cough drops	kof drops
koortsthermometer	clinical thermometer	**klin**nikul θu**mo**muttu
laxeermiddel	laxative	**lek**suttiv
lippenstift	lipstick	**lip**stik
lippenzalf	lip balm	lip bam
maandverband	sanitary towels	**sen**nietcrrie **tou**wuls
muggenolie/muggenstick	insect repellent (lotion/stick)	**in**sekt rie**pel**lunt (**loo**sjun/stik)
nagelborstel	nail brush	neel brusj
nagellak	nail polish/varnish	neel **pol**lisj/**va[r]**nisj
nagelvijl	nailfile	**neel**fail
neusdruppels	nose drops	noos drops
oogschaduw	eye shadow	ai **sjed**doo
oordruppels	eardrops	**e[r]**drops
oorwatjes	earplugs	**e[r]**plughs
papieren zakdoekjes	tissues	**ti**sjoes
parfum	perfume	pu**fjoem**
pijnstiller	painkiller	**peen**killu
pleisters	sticking plaster	**stik**king **plas**tu
rekverband	elastic bandage	ie**les**tik **ben**didzj
schaar	scissors	**sis**sus
scheermesjes	razor blades	**ree**zu bleeds
scheerkwast	shaving brush	**sjee**ving brusj
scheerzeep	shaving soap	**sjee**ving soop
shampoo	shampoo	sjem**poe**
slaaptabletten	sleeping pills	**slie**ping pils
speen	dummy	**dum**mie
spons	sponge	spundzj
tampons	tampons	**tem**pons
tandenborstel	tooth brush	toeθ brusj
tandpasta	tooth paste	toeθ peest

toiletpapier	toillet paper	**toj**lut **pee**pu
verbandgaas	gauze	gooz
verbandtrommel	first-aid kit	fust-eed kit
vitaminetabletten	vitamine pills	**vai**tummin pils
vlekkenwater	spot/stain remover	spot/steen rie**moe**vu
voorbehoedsmiddel	contraceptive	kontru**sept**iv
watten	cotton wool	**kot**tun woel
wegwerpluiers	disposable nappies/napkins	dis**poo**subbul **nep**pies/**nep**kins
wondzalf	healing ointment/salve	**hie**ling **ojnt**munt/sav
zeep	soap	soop
zonnebrandolie	sun(tan) oil	sun(ten) ojl
zuigfles	feeding bottle	**fie**ding **bot**tul

Mijn maat is ...
I take (a) size ...
ai teek (u) saiz ...

Dit is mij te groot/klein
This is too big/small for me
ðis iz toe bigh/smol fo[r] mie

Hij valt te nauw/wijd
It's too tight/loose
its toe tait/loes

De schoenen knellen hier
The shoes pinch here
ðu sjoes pinsj he[r]

Ik heb het liefst iets in het ...
I prefer something ...
ai prie**fu som**θing ...

beige	beige	beezj
blauw	blue	bloe
bruin	brown	broun
geel	yellow	**jell**oo
groen	green	ghrien
grijs	grey	ghree
lila	lilac	**lail**uk
oranje	orange	**or**rundzj
rood	red	red
roze	pink	pink
wit	white	wait
zwart	black	blek
bont	multicoloured	**mul**tie-kullud
donkerblauw/lichtblauw	deep/pale blue	diep/peel bloe

148

Ik geef de voorkeur aan ...
I prefer ...
ai prie**fu** ...

een bloemmotief	a floral pattern	u **flor**rul **pet**tun
effen	unpatterned	un**pet**tund
geruit	checked	tsjekt
geblokt	large check	lardzj tsjek
gestippeld	dotted	**dot**tud
gestreept	striped	straipt

Is dit gemaakt van ...?
Is this made of ...?
iz ðis meed uv ...

flanel	flannel	**flen**nul
fluweel	velvet	**vel**vut
kamgaren	worsted	**wus**tid
kant	lace	lees
katoen	cotton	**kot**tun
kunstleer	imitation leather	immi**tee**sjun **le**θu
kunststof	synthetic material	sin**θet**tik mut**ti**riejul
kunstvezel	synthetic fibre	sin**θet**tik **fai**bu
kunstzijde	rayon	**ree**jon
(rund)leer	leather (cowskin)	**le**θu (**kou**skin)
linnen	linnen	**lin**nun
ribfluweel	corduroy	**kod**durroj
scheerwol	new wool	njoc woel
stretch	stretch/stretchy material	stretsj/**stret**sjie me**tie**riël
vilt	felt	felt
zijde	silk	silk

Is dit kleurecht/krimpvrij?
Is this colourfast/non-shrinkable?
iz ðis **kol**lufast/non-**sjrin**kubbul

Kan dit worden gestreken/in de machine worden gewassen?
Can this be ironed/Is this machine-washable?
ken ðis bie **ai**rund/iz ðis musjien-**wosj**ubbul

Heeft u een maatje groter/kleiner?
Do you have a larger/smaller size?
doe joe hev u **lar**dzju/**smol**lu saiz

Kan het vermaakt worden?
Can it be altered?
ken it bie **ol**tud

Wanneer is het klaar?
When will it be ready?
wen wil it bie **red**die

Mag ik het passen?
May I try it on?
mee ai trai it on

Waar is de paskamer?
Where is the fitting room?
we[r] iz ðu **fit**ting roem

Waar is een spiegel?
Where can I find a mirror?
we[r] ken ai faind u **mir**ru

Waar is een schoenmaker?
Where is the nearest cobbler's?
we[r] iz ðu **nee**rust **kob**blus

Kunnen deze schoenen/kan deze schoen worden gerepareerd?
Can these shoes/this shoe be repaired?
ken θiez sjoes/θis sjoe bie rie**pe[r]d**

Ik wil nieuwe zolen/hakken
I'd like to have new soles/heels
aid laik toe hev njoe sools/hiels

beha	brassiere, bra	bru**zi[r]**, braa
blouse	blouse	blouz
bontjas	fur coat	fu[r] koot
breiwol	knitting wool	**nit**ting woel
broekriem, ceintuur	belt	belt
broekspijp	trouser-leg	**trou**zu[r]legh
colbert	jacket	**djek**ket
damesconfectie	ladies' wear	**lee**dies we[r]
damesvest	ladies' cardigan	**lee**dies **ka[r]**dieghun
das	tie	tai
garen	thread	θred
handschoenen	gloves	ghlovz
hemd	vest	vest
herenconfectie	men's wear	mens we[r]
hoofddoek	headscarf	**hed**ska[r]f
jurk	dress	dres
kamerjas	dressing gown, robe	**dres**sing ghoun, roob
kinderkleding	children's clothes	**tsjil**druns klooθz

kniekousen	knee socks	nie soks
knopen	buttons	**but**tuns
kostuum	suit	soet
laarzen	boots	boets
mantel	coat	koot
mantelpak	women's suit	**wim**muns soet
muts	hat	het
mouw	sleeve	sliev
nachtjapon	nightdress, nightgown	**nait**dres, **nait**ghoun
onderbroek (m/v)	(under)pants/panties	(**un**du)pents/**pen**ties
ondergoed	underwear	**un**du-we[r]
onderhemd	vest	vest
onderrok	waist slip	weest slip
overhemd	shirt	sju[r]t
pantalon	trousers	**trou**zuz
pantoffels	slippers	**slip**pus
panty	tights	taits
paraplu	umbrella	umb**rel**lu
pyjama	pyjamas *mv*	pu**dzjaa**muz
regenjas	rain/trench coat	reen/trensj koot
ritssluiting	zip	zip
rok	skirt	sku[r]t
sandalen	sandals	**sen**duls
schoenen	shoes	sjoes
schoenlepel	shoehorn	**sjoe**ho[r]n
schoensmeer	shoe polish	sjoe **pol**lisj
schoenveters	shoe laces	sjoe **lee**sus
short	shorts	sjo[r]ts
slippers	slippers	**slip**pu[r]z
sokken	socks	soks
spijkerbroek	jeans	djienz
spijkerjasje	denim jacket	**den**nim **djek**kut
sportkleding	sports wear	spo[r]ts we[r]
string	string	string
T-shirt	T-shirt	**tie**sju[r]t
trainingspak	tracksuit	**trek**soet
trui	sweater	**swet**tu
vest	cardigan	**ka[r]**dieghun
zakdoek	handkerchief	**heng**kutsjief
zool	sole	sool

Ik wil graag een ...
I'd like to have a ...
aid laik toe hev u ...

kleurenfilm	colour film	**kol**lu film
zwartwitfilm	black-and-white film	blek-un-wait film
filmcassette	cassette, cartridge	kes**set**, **ka[r]**tridzj
diafilm	slide film	slaid film

van 100 ASA	(a)1 00 ASA (film)	(u)wenhundred **ee**saa (film)
voor 20/36 opnamen	for 20/36 shots	fo[r] twentie/θu[r]**tie**siks sjots
voor daglicht	for outdoors	fo[r] out**do[r]z**
voor kunstlicht	for indoors	fo[r] in**do[r]z**

Ik wil graag een 8 mm/super 8 filmcassette/videofilmcassette
I'd like to have a 8 millimeter/super 8 cassette/video cassette
aid laik toe hev u 8 **mill**limietu/**soe**pu 8 kes**set**/**vi**diejo kes**set**

Kunt u deze film voor mij ontwikkelen en afdrukken?
I'd like to have this film developed and printed, please
aid laik toe hev ðis film die**vel**lupt end **prin**tud, pliez

mat	mat	met
glanzend	glossy	**ghlos**sie
10 x 15 cm	10 x 15 cm	ten bai **fif**tien senti**mie**tu[r]z

Ik wil de dia's ingeraamd hebben
I'd like to have these slides framed
aid laik toe hev ðiez slaidz freemd

Wanneer zijn ze klaar?
When will they be ready?
wen wil θee bie **red**die

Kunt u 4 pasfoto's maken?
Could you make 4 passport photos?
koed joe meek fo[r] **pas**po[r]t **foo**toos

Kan deze camera worden gerepareerd?
Can this camera be repaired?
ken ðis **kem**muru bie rie**pe[r]d**

Er is een defect aan de ...
The ... is broken
θu ... iz **broo**kun

◄ **U moet de camera naar de fabriek sturen**
The camera will have to be sent to the manufacturer
ðu **kem**murru wil hev toe bie sent toe ðu menjoe**fek**tjoeru

◀ **Dit zal veel gaan kosten**
It will be quite expensive
it wil bie kwait ik**spen**siv

afstandsmeter	rangefinder	**reenzj**faindu
APS	APS	ee-pie-es
batterij	battery	**bett**urrie
belichtingsmeter	exposure meter	ik**spoo**sju **mie**tu
dia	slide	slaid
diaraampjes	slide frames	slaid freems
digitale camera	digital camera	**di**dzjitel **kem**meru
filmcamera	film camera	film **kem**murru
filmtransport	film transport mechanism	film **trens**po[r]t **mek**kunizzum
filter	filter	**fil**tu
kleurenfilter	screencolour filter	skrien**koll**u **fil**tu
UV-filter	sun filter	sun **fil**tu
flitsblokjes	flashcubes	**flesj**-kjoebz
flitser	flash gun, electronic flash	flesj ghun, illek**tron**nik flesj
flitslampjes	flashbulbs	**flesj**bulps
flitslicht	flash(light)	flesj(lait)
formaat	size	saiz
foto-cd	photo-CD	foto-sie**die**
fototoestel	camera	**kem**murru
geluidsspoor	soundtrack	**sound**trek
groothoeklens	wide-angle lens	waid-**eng**ul lenz
lens	lens	lenz
lenskap	lens cap	lenz kep
micro-objectief	micro objective	**mai**kroo op**djek**tiv
negatief	negative	**negh**uttiv
objectief	objective, object glass	op**djek**tiv, **op**djikt glas
35 mm	thirty-five millimeter	θurtie-**faiv mil**liemietu
70 mm	seventy millimeter	**sevv**untie **mil**liemietu
135 mm	hundred and	**hun**drid end
	thirty-five millimeter	θurtie-**faiv mil**liemietu
onderwatercamera	underwater camera	**un**duwotu **kem**murru
opnameteller	exposure counter	ik**spoo**sju **koun**tu
pixels	pixels	**pik**sulz
resolutie	resolution	rezo**loe**sjun
sluiter	shutter	**sjut**tu
smalfilm	cine film	**sin**nie film
snelle film	high-speed film	hai-spied film
statief	tripod	**trai**pod

vergroting	enlargement	in**la[r]dzj**munt
videocamera	video camera	**vid**diejo **kem**murru
videocassette	video cassette	**vid**diejo kes**set**
videorecorder	video cassette recorder, VCR	**vid**diejo kes**set** rie**kod**du, vie sie ar
zoeker	viewfinder	**vjoe**faindu
zonnekap	lens hood	lenz hoed
zoomlens	zoom lens	zoem lenz

boeken, tijdschriften, schrijfwaren

Kantoorboekhandelaren en kioskhouders in Groot-Brittannië verkopen geen postzegels; hiervoor kunt u terecht bij het postkantoor of bij sommige newsagents (kranten- en tijd-schriftenwinkel, soms annex postagentschap), herkenbaar aan het rode postvignet.

Waar is een boekhandel/kantoorboekhandel/kiosk?
Where do I find a bookshop/stationer/newsstand?
we[r] doe ai faind u **boek**sjop/**stee**sjunnu/**njoez**stend

Heeft u vertaalde Engelse/Amerikaanse literatuur?
Do you also have translated English/American literature?
doe joe **ol**soo hev trens**lee**tud **ing**lisj/u**mer**rikun **lit**turritsju

Heeft u boeken in het Nederlands/Duits/Frans over ...?
Do you have any books in Dutch/German/French on ...?
doe joe hev **en**nie boeks in dutsj/**dzju[r]**mun/frensj on ...

Engeland	England	**ing**lund
Schotland	Scotland	**skot**lund
deze streek	this area	ðis **e**rieju
deze stad	this town	ðis toun
het natuurschoon	the scenery	ðu **sie**nurrie
geschiedenis	history	**his**turrie
monumenten	monuments	**mon**joemunts
fietstochten	bicycle tours	**bai**sikkul to[r]s
wandelingen	walks	woks
met veel foto's	with lots of pictures	wiθ lots ov **pik**tjus

Heeft u Nederlandse/Duitse/Franse kranten/tijdschriften?
Do you sell Dutch/German/French newspapers/magazines?
doe joe sel dutsj/**dzju[r]**mun/frensj **njoez**peepus/meghu**ziens**

ansichtkaarten	postcards	**poost**ka[r]ds
atlas	atlas	**et**lus
balpen	ball pen	bol pen
boek	book	boek
buitenlandse kranten	foreign newspapers	**for**run **njoez**peepus
calculator	calculator	**kelk**joeleetu
dagblad	newspaper	**njoez**poepu
detectiveroman	crime novel	kraim **nov**vul
elastiekjes	rubber bands	**rubb**u bends
enveloppen voor luchtpost	envelopesairmail (envelopes)	**en**vulloops**e[r]**meel (**en**vulloops)
inkt(patronen)	ink (cartridges)	ink (**ka[r]**tridzjus)
kinderboeken	children's books	**tsjil**druns boeks
kleurpotloden	crayons	**kree**juns
kookboek	cookbook	**koek**boek
krant	newspaper	**njoez**peepu
kunstboeken	art books	a[r]t boeks
landkaart	map	mep
lijm	glue	ghloe
lineaal	ruler	**roe**lu
literatuur	literature	**litt**urritsju
maandblad	monthly	**mon**θlie
opruiming	sale	seel
pakpapier	wrapping paper	**rep**ping **pee**pu
paperclips	paperclips	**pee**pu-klips
papier	paper	**pee**pu
plakband	sellotape, Scotch tape	**sel**looteep, skotsj teep
plattegrond	map, street plan	mep, striet plen
pockets	paperbacks	**pee**pu-beks
potlood	pencil	**pen**sil
punaises	drawing pins	**dro**wing pins
puntenslijper	pencil sharpener	**pen**sil **sja**punnu
reisgids kunstreisgids	(travel) guideart guide	(**trev**vul) ghaida[r]t ghaid
schrift	exercise book	**ek**sussaiz boek
schrijfblok	notepad, writing pad	**noot**ped, **rai**ting ped
speelkaarten	playing cards	**plee**jing ka[r]ds
topografische kaart	topographical map	toppu**ghref**fiekul mep
tijdschrift	magazine	meghu**zien**
viltstift	felt-tip pen	felt-tip pen
vlakgom	eraser	ie**ree**su
vulpen	fountain pen	**foun**tun pen
wandelgids	hiking guide	**hai**king ghaid

wandelkaart	walking/hiking map	**wo**king/**hai**king mep
weekblad	weekly	**wiek**lie
wegenkaart	road map	rood mep
woordenboek	dictionary	**dik**sjunnurrie
Ned.-Engels	Dutch-English	dutsj-**ing**lisj
Engels-Ned.	English-Dutch	**ing**lisj-dutsj

juwelen en horloges

Kunt u dit horloge/deze armband/deze ketting repareren?
Can you fix this watch/bracelet/chain?
ken joe fiks ðis wotsj/**brees**lit/tsjeen

Het horloge loopt voor/achter   **Kunt u dit schoonmaken?**
The watch is fast/slow   Could you clean this?
ðu wotsj iz fast/sloo   koed joe klien ðis

Wanneer is het klaar?   ◀ **Dit is onherstelbaar**
When will it be ready?   This cannot be repared
wen wil it bie **red**die   ðis kennot bie rie**pe[r]d**

◀ **De batterij moet vervangen worden**
The battery must be changed
ðu **bet**turrie must bie tsjeenzjd

Hoeveel karaat is dit?   ◀ **14/18 karaat**
How many carats is this?   14/18 carats
hou **men**nie **ker**ruts iz ðis   **fo[r]**tien/**ee**tien **ker**ruts

Kan deze naam erin gegraveerd worden?
Can I have this name engraved in it?
ken ai hev ðis neem in**ghreevd** in it

amulet	amulet	**em**joelit
armband	bracelet	**brees**lit
batterij	battery	**bet**turrie
briljant	cut diamond, brilliant	kut **daj**mund, **bril**junt
broche	brooch	brootsj
bladgoud	gold leaf	ghoold lief
chroom	chrome	kroom
dameshorloge	ladies' watch	**lee**dies wotsj

diamant	diamond	**daj**mund
doublé	gold-plated	ghoold-**plee**tud
glas	glass	ghlas
goud	gold	ghoold
halsketting	necklace	**nek**lis
herenhorloge	men's watch	mens wotsj
horloge	watch	wotsj
digitaal	digital	**did**zjittul
met wijzers	dial watch	**da**jul wotsj
horlogebandje	watchstrap	**wotsj**strep
horlogeketting	watch chain	wotsj tsjeen
jade	jade	dzjeed
juwelenkistje	jewel box/case	**djoe**wul boks/kees
kristal	crystal	**kris**tul
kwartshorloge	quartz watch	kwo[r]ts wotsj
leer	leather	**le**θu
messing	brass	bras
oorbellen	earrings	**eer**rings
opwindknopje	crown	kroun
parelmoer	mother of pearl	**mo**ðu uv pu[r]l
parelsnoer	pearl necklace	pu[r]l **nek**lis
platina	platinum	**plett**innum
polshorloge	wristwatch	**rist**wotsj
(reis)wekker	(travel) alarm clock	(**trev**vul) u**la[r]m** klok
ring	ring	ring
trouwring	wedding ring	**wed**ding ring
zegelring	signet ring	**sig**nit ring
robijn	ruby	**roe**bie
roestvrij staal	stainless steel	**steen**lis stiel
(rood)koper	copper	**kop**pu
saffier	sapphire	**sef**faju
schakelarmband	chain bracelet	tsjeen **brees**lit
smaragd	emerald	**emm**urruld
speld	pin	pin
tabaksdoos	tobacco box	tu**bek**ko boks
tafelzilver	silverware	**silv**u-we[r]
tin	pewter	**pjoe**tu
topaas	topaz	**too**pez
veer	spring	spring
vestzakhorloge	pocket watch	**pok**kut wotsj
witgoud	white gold	wait ghoold
zilver	silver	**sil**vu

blok	block	blok
eerstedagenveloppe	first day cover	furst dee **ko**vvu
gelegenheidsmunten	commemorative coins	kum**mem**murrutiv kojns
gelegenheidspostzegels	commemorative stamps	kum**mem**murrutiv stemps
gelegenheidsstempel	special postmark	**spe**sjul **poost**ma[r]k
gestempeld	postmarked	**poost**ma[r]kt
getand	perforated	**pu**forreetud
gewone zegels	ordinary stamps	**o**dienerrie stemps
gouden /zilvermunten	gold/silver coins	ghoold/**silvu** kojns
jaarcollectie	this year's collection	ðis je[r]s kull**ek**sjun
losbladig	loose-leaf	loes-lief
muntenalbum	coin album	kojn **el**bum
ongetand	not perforated	not **pu**forreetud
postzegel	stamp	stemp
postzegelalbum	stamp album	stemp **el**bum
serie	series	**se**riez
vel	sheet	sjiet

Munten en bankbiljetten worden verkocht in de (aflopende) kwaliteitsklassen *proof, prooflike, fleur de coin, uncirculated, extremely fine, very fine, fine, very good* en *good*.

Ik heb +1,5
I wear +1.5
ai we[r] plus wen pojnt faiv

Ik heb -2,25
I wear -2.25
ai we[r] **mai**nus toe pojnt twentie**faiv**

Kan deze bril gerepareerd worden?
Can these glasses be repaired?
ken ðiez **ghlas**siz bie rie**pe[r]d**

Heeft u voor mij een zonnebril?
Do you have a pair of sunglasses for me?
doe joe hev u pe[r] of **sun**ghlassiz fo[r] mie

opticien	optician	**opti**sjun
contactlenzen	contact lenses, contacts	**kon**tekt **len**siz, **kon**tekts
vloeistof voor contactlenzen	fluid for contact lenses	**floe**wid fo[r] **kon**tekt **len**siz
harde lenzen	hard lenses	ha[r]d **len**suz

zachte lenzen	soft lenses	soft **len**suz
bijziend	short-sighted	**sjo[r]t**saitid
verziend	long-sighted/far-sighted	**long**saitid/**fa[r]**saitid

in de tabakzaak

Heeft u buitenlandse sigaren/sigaretten?
Do you sell foreign cigars/cigarettes?
doe joe sel **for**rin si**gha[r]s**/sighu**rets**?

aansteker	lighter	**lai**tu[r]
filtersigaretten	filter-tipped cigarettes	**fil**tu-tipt sighu**rets**
lucifers	matches	**met**sjus
pijp	pipe	paip
shag	(rolling) tobacco	(**roo**ling) tu**bek**koo
tabak	tobacco	tu**bek**koo
vloei	cigarette paper	**sig**huret **pe**per

wasserette en reiniging

Waar is een wasserette?
Where can I find a laundrette?
we[r] ken ai faind u lon**dret**

Waar kan ik kleding laten reinigen?
Where can I have my clothes cleaned
we[r] ken ai hev mai kloo**θ**z kliend?

Kan dit voor mij gereinigd/gestoomd worden?
Could I have this cleaned/dry-cleaned?
koed ai hev ðis kliend/drai-kliend

◄ **Dit vraagt een speciale behandeling**
This needs special treatment
ðis nieds **spe**sjul **triet**munt

◄ **Deze vlek krijgen wij er niet uit**
This stain won't come out
ðis steen woont kum out

chemisch reinigen	dry-cleaning	drai-**klie**ning
droogtrommel	dryer	**dra**ju
hoofdwas	main wash	meen wosj
kreukvrij	crease-resistant	kries-ri**zis**tunt
lauw wassen	wash in lukewarm water	wosj in **loek**wo[r]m **wo**tu
met de hand wassen	hand wash only	hend wosj **oon**lie
niet strijken	no ironing	noo **aj**running
op 40° wassen	wash at 40 degrees	wosj et **fo[r]**tie du**ghriez**

stomen	to dry-clean	toe drai-klien
strijken	to iron	toe **aj**run
synthetisch	synthetic, artificial	sin**θ**ettik, a[r]tifisjul
voorwas	prewash	**prie**wosj
wasautomaat	washing machine	**wo**sjing mu**sjien**
wassen	to wash	toe wosj
waterdicht	waterproof	**wo**tu-proef
zeeppoeder	detergent	die**tu**dzjunt

bij de kapper

| dameskapper | ladies' hairdresser | **lee**dies he[r]dressu |
| herenkapper | men's hairdresser | mens he[r]dressu |

Kan ik een afspraak maken?
Can I make an appointment?
ken ai meek un u**pojnt**munt

Hoe lang kan het duren?
How long will it take?
hou long wil it teek

Knipt u ook kinderen?
Do you also cut children's hair?
doe joe **ol**soo kut **tsjil**druns he[r]

Knippen en scheren a.u.b.
A shave and a haircut, please
u sjeev end u **he[r]**kut, pliez

Niet te kort
Not so short
not soo sjo[r]t

Wassen en verven a.u.b.
Washing and dyeing, please
wosjing end **dai**jing, pliez

Wilt u alleen de punten bijknippen?
Just a trim, please
djust u trim, pliez

Iets korter ...
A little shorter ...
u **lit**tul **sjor**tu ...

bovenop	on top	on top
in de nek	at the back of the neck	et ðu bek uv ðu nek
aan de achterkant	at the back	et ðu bek
aan de zijkanten	on the sides	on ðu saidz
baard	beard	be[r]d
bakkebaard	whiskers	**wis**kus
brillantine	brilliantine	**bril**juntin
coupe soleil	bleached streaks	blietsjt strieks

160

droog haar	dry hair	drai he[r]
droogkap	hair dryer	he[r] **draj**u
föhnen	to blow-dry	toe bloo-drai
gel	hair gel	he[r] dzjel
haarlak	hair spray	he[r] spree
haaruitval	loss of hair	los uv he[r]
haarversteviger	setting-lotion	**sett**ing-**loo**sjun
kam	comb	koom
kammen	to comb	toe koom
kapsel	hairdo	**he[r]**doe
kleurspoeling	(colour) rinse	(**kol**lu) rins
knippen	to cut	toe kut
krullen	to wave/curl/crimp	toe weev/ku[r]l/krimp
lang haar	long hair	long he[r]
lotion	lotion	**loo**sjun
manicure	manicure	**men**nikjoe
opkammen	to style	toe stajl
paardenstaart	ponytail	**poo**nie-teel
permanent	perm	pu[r]m
punkkapsel	punk hairstyle	punk **he[r]**stail
roos	dandruff	**den**druf
shampoo	shampoo	sjem**poe**
snor	moustache	mus**tasj**
spoeling	rinse	rins
verven	dyeing	**dai**jing
vet haar	greasy hair	**ghrie**sie he[r]
vlecht	braid, plait	breed, pleet
watergolf	wave	weev

in de schoonheidssalon

(zie ook de lijst onder 'Drogisterijartikelen')

Kan ik een afspraak maken?	**Hoe lang kan het duren?**
Can I make an appointment?	How long will it take?
ken ai meek un u**pojnt**munt	hou long wil it teek

gezichtsmasker	face pack	fees pek
gezichtsverzorging	a facial	u **fee**sjul
manicure	manicure	**men**nikjoe
modderbehandeling	mudpack	**mud**pek

ontharen	to depilate	toe **dep**pieleet
pedicure	pedicure	**ped**dikjoe
scheren	to shave	toe sjeev
volledige behandeling	full treatment	foel **triet**munt

in andere winkels

strandschepje	beach spoon	bietsj spoen
zwemband	lifebelt	**laif**belt
bal	ball	bol
kaartspel (spel kaarten)	pack of cards	pek ov ka[r]dz
kaartspel (spelletje)	game of cards	gheem ov ka[r]dz
dobbelstenen	dices	**dai**siz
(kruiswoord)puzzel	(crossword) puzzle	(**kros**wu[r]d) **puz**zul
(leg)puzzel	jigsaw puzzle	**djigh**sow **puz**zul
computerspelletje	computer game	kom**pjoe**tu[r] gheem
cd	CD	sie-**die**
cd-speler	CD-player	sie-**die**pleeju[r]
walkman	walkman/	**wohk**men/
/diskman	portable recordplayer	**po**[r]tebul **rek**ko[r]dplejer
dvd-speler	DVD player	die-vie-**die**plejer
mp 3-speler	MP3 player	em-pie-θ**rie**plejer
barbiepop	Barbie doll	**ba**[r]bie dol
knuffelbeest	cuddly toy	**kud**dlie toj

toerisme

op het verkeersbureau of VVV-kantoor

Waar is het VVV-kantoor?
Where is the tourist information?
we[r] iz ðu **toe**rist info**mee**sjun

Spreekt u Duits of Frans?
Do you speak German or French?
doe joe spiek **dzju[r]**mun o[r] frensj

Ik wil graag inlichtingen/een folder hebben over ...
I'd like to have some information/a leaflet on ...
aid laik toe hev som info**mee**sjun/u **lief**lut on ...

amusement voor kinderen	entertainment for children	entu**teen**munt fo[r] **tsjil**drun
autoverhuur	car hire/rental	ka[r] **haju**/**ren**tul
busdiensten	bus services	bus **suv**vissiz
dagexcursies	day trips	dee trips
evenementen	events	ie**vents**
fietsverhuur	rent-a-bike	rent-u-baik
hotels	hotels	hoo**tels**
jeugdherbergen	youth hostels	joeθ **host**uls
kampeerterreinen	camp sites	kemp saits
meerdaagse excursies	... day excursions	... dee ik**sku**sjuns
monumenten	monuments	**mon**joemunts
musea	museums	mjoe**sie**jums
openbaar vervoer	public transport	**pub**blik **trens**po[r]t
pensions	guest houses	ghest **hou**ziz
rondvaarten	sightseeing cruises	**sait**siejing **kroe**siz
stadswandelingen	city walks	**sit**tie woks
treinen	trains	treens
uitgaansmogelijkheden	entertainment	entu**teen**munt
vakantiehuisjes/	holiday cottages/	**hol**liedee **kott**idzjiz/
bungalows	bungalows	**bung**huloos
vissen	angling, fishing	**eng**ling, **fi**sjing
wandelingen	walks, hikes	woks, haiks
watersport	water sports, aquatics	**wo**tu spo[r]ts, u**kwett**iks

Hebt u folders in het Nederlands/Duits/Frans?
Do you have any leaflets in Dutch/German/French?
doe joe hev **en**nie **lief**luts in dutsj/**dzju[r]**mun/frensj

Hebt u een stadsplattegrond/streekkaart?
Do you have a map of the city/area?
doe joe hev u mep uv ðu **sit**tie/**e**rieju

Hebt u fietskaarten/wandelkaarten?
Do you have bicycle/hikers' maps?
doe joe hev **bai**sikkul/**hai**kus meps

Kunt u de route intekenen?
Could you draw the route?
koed joe dro ðu roet

Wat zijn de belangrijkste bezienswaardigheden?
Which are the main sights?
witsj a[r] ðu meen saits

Waar vind ik de/het ...?
Where do I find the ...?
we[r] doe ai faind θu ...

aquarium	aquarium	u**kwer**riejum
botanische tuin	botanical garden	boo**ten**nikkul **gha[r]**dun
dierentuin	zoo	zoe
grotten	caves	keevz
kapel	chapel	**tsjep**pul
kasteel	castle	**kas**sul
kathedraal, dom	cathedral	ku**θie**drul
kerk	church	tsjurtsj
klooster	monastery, convent	**mon**nusturrie, **kon**vent
markt	market(place)	**ma[r]**kut(plees)
museum	museum	mjoe**sie**jum
opera	opera (house)	**op**ra (hous)
paleis	palace	**pel**lus
park	park	pa[r]k
parlementsgebouw	houses of parliament	**hou**ziz uv **pa[r]**lummunt
raadhuis	town/city hall	toun/**sit**tie hol
ruïne	ruins	**roe**wins
schouwburg	theatre	**θie**juttu
(t.v.-)toren	(TV) tower	(tie-vie) **tou**wu
uitzichtpunt	observation point	obzu**vee**sjun pojnt
vesting	fortress	**fo[r]**trus

Kunt u het op de plattegrond aanwijzen?
Could you point it out on the map?
koed joe pojnt it out on ðu mep

Is het vandaag geopend?
Is it open today?
iz it **oo**pun toe**dee**

Moet er entree betaald worden?
Do they charge an entrance fee?
doe θee tsjardzj un **en**truns fie

Verkoopt u ook gidsen/kaarten/plattegronden?
Do you also sell guides/maps/street plans?
doe joe **ol**soo sel gaids/meps/striet plens

Vanwaar vertrekken de bussen?
Where do the buses leave?
we[r] doe ðu **bus**siz liev

◄ **U wordt bij uw hotel afgehaald**
You will be picked up at your hotel
joe wil bie pikt up et jo[r] hoo**tel**

museumbezoek

Waar is het ... -museum/museum voor ...?
Where is the ... museum/museum of ...?
we[r] iz θu ... mjoe**sie**jum/mjoe**sie**jum uv ...

beeldende kunst	visual/fine arts	**viz**joewul/fain a[r]ts
beeldhouwkunst	sculpture	**skulp**tju
folklore	folklore	**fook**lo
geologie	geology	dzjie-**o**-lodzjie
geschiedenis	history	**his**turrie
keramiek	ceramics	si**rem**miks
kunstnijverheid	arts and crafts	a[r]ts end krafts
landbouw	agriculture	**e**ghrikultju
leger	military museum	**mil**literrie mjoe**sie**jum
letterkunde	literature	**lit**turrutsju
muziekgeschiedenis	musical history	**mjoe**sikkul **his**turrie
natuurwetenschappen	natural sciences	**net**joerul **saj**unsiz
oosterse kunst	oriental art	oorie**jen**tul a[r]t
openluchtmuseum	open-air museum	**oo**pun-e[r] mjoe**sie**jum
oudheidkunde	archaeology	akkie-**o**-ludzjie
post	postal museum	**poos**tul mjoe**sie**jum
postzegels	stamps	stemps
prehistorie	prehistory	prie**his**turrie
rijtuigen	carriages	**ker**ridzjiz
scheepvaart	maritime museum	**mer**ritaim mjoe**sie**jum

spoorwegen	railway museum	**ree**lwee mjoe**sie**jum
stadsgeschiedenis	municipal/local history	mjoe**nis**sippul/**loo**kul **his**turrie
streekgeschiedenis	regional history	**ried**zjunnul **his**turrie
textielnijverheid	textile industry	**teks**tail in**dus**trie
verkeer	traffic	**tref**fik
visserij	fishery	**fis**jurrie
volkenkundig	ethnographical museum	eθnoo**ghref**fikkul mjoe**sie**jum
volkskunst	folk art	fook a[r]t
toegepaste kunst	applied arts	u**plaid** a[r]ts
techniek	technique	tek**niek**
zoölogie	zoology	zoo-**o**-ludzjie

Is het museum vrij toegankelijk?
Is the museum open to the public?
iz ðu mjoe**sie**jum **oo**pun toe ðu **pu**blik

◀ **Nee, alleen met een rondleiding**
No, you have to take a guided tour
noo, joe hev toe teek u **ghai**dud to[r]

Hoeveel bedraagt de entree?
How much is the entrance fee?
hou mutsj iz ðie **en**truns fie

◀ **Het bezoek is gratis**
The entrance is free
ðie **en**truns iz frie

Twee kaartjes voor volwassenen
Two adult tickets
toe **e**dult/u**dult tik**kuts

Twee kinderkaartjes
Two children's tickets
toe **tsjil**druns **tik**kuts

Is er een bijzondere tentoonstelling?
Is there a special exhibition?
iz ðe[r] u **spe**sjul eksi**bi**sjun

Mag ik fotograferen?
Can I take pictures?
ken ai teek **pik**tjus

◀ **Alleen tegen betaling**
You have to pay
joe hev toe pee

◀ **Alleen zonder flitslicht en zonder statief**
Only without flash and without tripod
oonlie wiθ**out** flesj end wiθ**out trai**pud

Heeft u een plattegrond/gids/catalogus?
Do you have a plan/guide/catalogue?
doe joe hev u plen/ghaid/**ket**tulogh

Is er een/Waar is de/het ...?
Is there a/Where is the ...?
iz ðe[r] u/we[r] iz θu ...

cafetaria	cafeteria	keffi**tee**rieju
crèche	crèche	kresj
filmvoorstelling	film showing/performance	film **sjoow**ing/pu**fo**muns

garderobe	cloakroom	**klook**roem
koffieautomaat	coffee machine	**koffie** mus**jien**
lezing	lecture	**lek**tju
museumwinkel	museum shop	mjoe**siej**um sjop
restaurant	restaurant	**res**trunt
suppoost	attendant	u**ten**dunt
toilet	toilet	**toj**lut
uitgang	exit	**ek**sit

in kastelen, kerken enz.

(zie voor de vragen over entree onder 'Museumbezoek')

Hoe laat begint de rondleiding?
When does the guided tour start?
wen duz ðu **ghai**dud to[r] sta[r]t

Is er een rondleiding in het Duits/Engels?
Is there a tour ın German/French?
iz ðe[r] u to[r] in **dzju[r]**mun/frensj

Mogen we hier vrij rondkijken?
May we look around on our own?
mee wie loek u**round** on **ou**wu oon

kasteel	castle	**kas**sul
paleis	palace	**pel**lus
koninklijk	royal	**roj**ul
hertogelijk	ducal	**djoe**ku
grafelijk	earl's	lu[r]l
bisschoppelijk	episcopal	sip**pis**kuppul
ridderzaal	great hall	ghreet hol
ontvangsthal	reception hall	ris**sep**sjun hol
balzaal	ballroom	**bol**roem
vesting	fortress	**fo[r]**tris
vestingwal	rampart	**rem**pat
bastion	bastion	**bes**tiejun
rondeel	roundel	**roun**dul
munitiekamer	ammunition room	emjoe**ni**sjun roem
kerker	dungeon	**dun**dzjun
landhuis	manor, stately home	**men**nu, **steet**lie hoom
landgoed	country estate	**kun**trie is**teet**
klooster	monastery, convent	**mon**nusturrie, **kon**vent
abdij	abbey	**eb**bie
kathedraal	cathedral	ku**θie**drul

TOERISME

167

kerk	church	tsjurtsj
synagoge	synagogue	**sin**nugog
schip	nave	neev
koor	choir	**kwaj**u
altaar	altar	**ol**tu
gewelf	vault	voolt
schatkamer	treasure room	**tre**zju roem
benedictijnen	Benedictines	benni**dik**tins
cisterciënzers	Cistercians	si**stu[r]**sjuns
dominicanen	Dominicans, Blackfriars	du**min**nikuns, **blek**frajus
franciscanen	Franciscans, Greyfriars	fren**sis**kuns, **ghree**frajus

prehistorisch	prehistoric	priehis**tor**rik
Romeins	Roman	**roo**mun
middeleeuws	medieval	meddie-**ie**vul
preromaans*	Pre-Romanesque	prie-roomu**nesk**
romaans*	Romanesque	roomu**nesk**
gotisch*	Gothic	**gho**θik
renaissance	Renaissance	ru**nee**suns
barok	baroque	bu**rok**
rococo	rococo	ru**koo**koo
classicistisch	classicistic	klessi**sis**tik
neogotisch	Neo-Gothic	**nie**jo-**gho**θik
modernistisch	modernistic	modu**nis**tik
modern	modern	**mo**dun
eigentijds	contemporary	kun**tem**prurri
16de-eeuws	16th century	**siks**tienθ **sent**jurrie

* In plaats van (pre)romaans en gotisch spreekt men in Engeland liever van Anglo-Saxon (vóór 1066), Norman (eind 11de-begin 12de eeuw), Early English (vroeggotisch), Perpendicular (hooggotisch) en Decorated (laatgotisch). Latere bouwstijlen, van renaissance tot vroeg-20ste-eeuws, dragen vaak de namen van de regerende vorsten: Tudor, Georgian, Victorian, Edwardian. Een goede reisgids geeft uitleg van deze stijlen.

opschriften

NO PHOTOGRAPHING	VERBODEN TE FOTOGRAFEREN
FREE ENTRANCE	VRIJ TOEGANKELIJK
NO ENTRANCE	GEEN TOEGANG
PLEASE DO NOT TOUCH	NIET AANRAKEN

The apple never falls far from the tree
De appel valt niet ver van de boom/stam

A cow may catch a hare
Je weet nooit hoe een koe een haas vangt

As the old cock crows, so crows the young
Zoals de oude haan kraait, zo kraait de jonge
Zoals de ouden zongen, piepen de jongen

He who digs a pit for others fall in himself
Wie een kuil graaft voor een ander valt er zelf in

Shallow streams make the most din
Ondiepe riviertjes maken het meeste lawaai
Holle vaten klinken het hardst

Who learns young, forgets not when he is old
Jong geleerd, oud gedaan

There's no place like home
Er is geen plek zoals thuis
Oost west, thuis best

Experience is the best teacher
Ervaring is de beste leermeester
Al doende leert men

He that mischief hatches, mischief catches
Hij die onheil uitbroedt, krijgt ook onheil
Boontje komt om zijn loontje

Every house has a skeleton in the cupboard
Elk huis heeft wel een geraamte in de kast
Elk huisje heeft zijn kruisje

It takes two to make a quarrel
Er zijn er twee nodig om ruzie te maken
Waar twee kijven, hebben twee schuld

More haste, less speed
Meer haast, minder vaart
Haastige spoed is zelden goed

You must plough with the oxen that you have
Je moet ploegen met de ossen die je hebt
Je moet roeien met de riemen die je hebt

They that dance must pay the fiddler
Zij die dansen moeten de vedelaar betalen
Wie zijn billen brandt, moet op de blaren zitten

A bird in the hand is worth two in the bush
Eén vogel in de hand is twee in de struiken waard
Beter één vogel in de hand dan tien in de lucht

A good neighbour is better than a far-dwelling kinsman
Een goede buurman is beter dan een ver weg wonend familielid
Een goede buur is beter dan een verre vriend

When in Rome, do as the Romans do
Ben je in Rome, doe dan als de Romeinen
's Lands wijs, 's lands eer

Let bygones be bygones
Laat gedane zaken gedane zaken blijven
Haal geen oude koeien uit de sloot

It's no use crying over spilt milk
Het heeft geen zin te treuren over gemorste melk
Gedane zaken nemen geen keer

If the cap fits, wear it
Als de pet past, draag hem dan
Wie de schoen past, trekke hem aan

In de eerste kolom, waarin u dus de Nederlandse woorden vindt, geven we alleen de mannelijke vorm van een woord. In de Engelse vertaling vindt u zowel de mannelijke als de vrouwelijke vorm. Bijvoorbeeld: **koning -** king *m*, queen *v* (m.a.w. de koning = the king, de koningin = the queen). Woorden die in het Engels altijd in de meervoudsvorm staan, worden gevolgd door de aanduiding *mv*.

A

aanbevelen	to recommend	toe rekom**mend**
aanbieden	to offer	toe **of**fu[r]
aanbieding	special offer	**spes**jul **of**fu[r]
aangebrand	burnt	bu[r]nt
aangenaam (behaaglijk)	pleasant, agreeable	**ple**zent, u**ghrie**abul
aangenaam!	pleased to meet you!	pliezd toe miet joe
aangetekend	registered	**re**dzjistu[r]d
aanhangwagen	trailer	**tree**lu[r]
aankomen (ter plekke)	to arrive	toe u**raiv**
aankomen (in gewicht)	to gain weight	toe gheen weet
aankomst(tijd)	arrival (time)	u**rai**vel (taim)
aannemen (veronderstellen)	to suppose	toe sup**pooz**
aannemen (accepteren)	to accept	toe ek**sept**
aanrijding	crash, collision	kresj, col**li**zjun
aansteker (van rookwaren)	lighter	**lai**tu[r]
aantal	number	**num**bu[r]
aantrekken (kleding)	to wear	toe wè[r]
aantrekken (aanlokken)	to attract	toe et**trekt**
aanvraagformulier	application form	eppli**kees**jun fo[r]m
aanvragen	to apply	toe ep**plai**
aanwijzen	to indicate, to point out	toe **in**dikeet, toe pojnt out
aardappels	potatoes	po**te**tooz
aarde (wereld)	earth	urθ
aarde (grond)	soil	sojl
aardewerk	earthenware	**ur**θunwè[r]

aardig (sympathiek)	kind, friendly	kaind, **frend**lie
accu	battery	**bet**terie
achter (ligging)	behind, at the back	bi**haind**, et ðe bek
achteraf (ligging)	remote	rie**moot**
achterkant	back, rear (side)	bek, rie[r] (said)
achterlopen	to be slow, to lose time	toe bie slow, toe loez taim
achternaam	surname, family name	**sur**neem, **fe**milieneem
achteruit	backwards	**bek**wu[r]dz
adem	breath	breθ
ademnood	breathlessness	**bre**θlesnes
adres	address	ed**dres**
advocaat	lawyer	**lohw**ju[r]
afdalen	to descend	toe des**send**
afdeling	department	die**pa[r]t**munt
afdruk (foto)	print	print
afgesloten (versperd)	blocked	blokd
afgesloten (beëindigd)	finished	**fi**nisjd
afgesproken	settled, fixed	**set**tuld, fiksd
afrekenen	to pay	toe pee
afspraak (formeel)	appointment	up**pojnt**munt
afspraak (overeenkomst)	deal, arrangement	diel, ur**reendzj**munt
afspraakje (informeel)	date	deet
afspreken (tijd/datum)	to arrange, to fix (a time/date)	toe ur**reendzj**, toe fiks (u taim/deet)
afspreken (overeenkomen)	to agree	toe u**ghrie**
afstand	distance	**dis**tens
afvaart	sailing, departure	**see**ling, die**pa[r]**tju[r]
afval	waste, litter	weest, **lit**tu[r]
afwijken	to deviate	toe **de**viejeet
afzeggen	to cancel	toe **ken**sul
afzender	sender	**sen**du[r]
agent (politie)	policeman m, policewoman v, constable (PC)	po**lies**men, po**lies**woemen, **kon**stebul (pie-sie)
agent (vertegenwoordiger)	agent	**ee**dzjunt
alarmnummer	emergency number	ie**mur**dzjensie **num**bu[r]
algemeen	general	**dze**jenerol
alleen (zonder gezelschap)	single, alone	**sing**hul, u**loon**
alleen (uitsluitend, slechts)	only	**oon**lie
alles	all	ol
alstublieft (geven)	here you are	hie[r] joe a[r]
alstublieft (na een aanbod)	thank you, yes please	θenk joe, jes pliez

alstublieft (vragen)	please	pliez
altijd	always	**ol**weez
ambassade	embassy	**em**bussi
ambtenaar	civil servant	**si**vil **sur**vent
ambulance	ambulance	**em**bjoelens
ander(e)	other	**u**ðu[r]
anders (verschillend)	different	**dif**ferunt
anders, ergens	somewhere else	**sum**we[r] els
anders, iemand	someone else	**sum**wen els
angst	fear	fie[r]
angstig	afraid	u**freed**
ansichtkaart	(picture) postcard	(**pik**tju[r]) **poost**ka[r]d
antenne	aerial, antenna	**è**riul, en**ten**na
antiek	antiques *mv*	en**tieks**
antiquair	antique dealer	en**tiek die**lu[r]
antivries	antifreeze	**en**tifriez
antwoord	answer	**aan**su[r]
antwoorden	to answer	tne **aan**su[r]
apotheek	dispensing chemist's	dis**pen**sing **ke**mists
appel	apple	**ep**pel
appelsap	apple juice	eppel djoes
arm (financieel)	poor	poe[r]
arm (lichaamsdeel)	arm	a[r]m
armband	bracelet	**brees**let
as (sigaret)	ash	esj
as (wiel)	axle	**ek**sul
asbak	ash tray	esj trec
auto	car	ka[r]
automatisch	automatic	ohto**me**tik
autosnelweg	motorway	**mo**torwee
autoweg	A road	ee-rood
avond	[vroeg] evening, [laat] night	**ie**vening, nait
avondeten	dinner, [laat] supper	**din**nu[r], **sup**pu[r]
avonds, 's	at night	et nait
azijn	vinegar	**vi**negha[r]
B		
baai	bay	bee
baard	beard	bie[r]d
baas	manager, [informeel] boss	**me**nudzju[r], bos
baby	baby	**bee**bie
babyvoeding	baby food	**bee**bie foed
bad (kuip)	bath (tub)	baaθ (tub)

bad (in zee)	swim	swim
baden (in badruimte)	to take a bath	toe teek u baaθ
badhanddoek	bath towel	baaθ **tou**wul
badkamer	bath room	baaθ roem
badpak	swimsuit	**swim**soet
badschuim	bath foam	baaθ foom
bagage	luggage	**lugh**ghedzj
bagagedepot	left luggage (office)	left **lugh**ghedzj (**off**is)
bagagekluis	(luggage) locker	(**lugh**ghedzj) **lok**ku[r]
bagagerek	luggage rack	**lugh**ghedzj rek
bagageruimte (kofferbak)	boot	boet
bakken	to fry, to bake	toe fraai, toe beek
bakker	bakery	**bee**keri
bal (speelgoed, dansfestijn)	ball	bol
balkon	balcony	**bel**keni
balpen	ball pen	bol pen
band (wiel)	tyre	taair
band (relatie)	tie, bond	taai, bond
band (muziekgroep)	band	bend
bang zijn	to be afraid	toe bie u**freed**
bank (kantoor)	bank	benk
bank (straatmeubilair)	bench	bentsj
bank (kamermeubilair)	couch	koutsj
bankbiljet	banknote	**benk**noot
barst	crack	krek
barsten	to crack	toe krek
batterij	battery	**bet**teri
bed	bed	bed
bedanken	to thank	toe θenk
bedienen	to serve	toe surv
bediening (inbegrepen)	service (included)	**sur**vis (in**kloe**did)
bedoelen	to mean	toe mien
bedoeling	intention	in**ten**sjun
bedorven	bad, off	bed, of
bedrag	amount	u**mount**
been	leg	legh
beest	animal	**e**nimel
beet (hap)	bite	bait
beet! (sportvissen)	I've got a bite!	aiv ghot u bait
beetje, een	a little (bit), a bit	u **lit**tul (bit), u bit
begane grond	ground floor	ghround floo[r]
begin	start	sta[r]t

beginnen	to begin, to start	toe bie**ghin**, toe sta[r]t
begrijpen	to understand	toe unde[r]**stend**
behalve (uitgezonderd)	except	ek**sept**
behandeling	treatment	**triet**ment
beide	both	booθ
bekend (befaamd)	(well-)known	(**wel**)noown
bekend zijn met	to be familiar with	tue bie fe**mil**je[r] wiθ
bekeuring	ticket	**tik**ket
bel	bell	bel
belangrijk	important	im**po[r]**tunt
Belg, Belgische	Belgian	**bel**dzjen
België	Belgium	**bel**dzjum
Belgisch	Belgian	**bel**dzjen
bellen (aanbellen)	to ring	toe ring
bellen (opbellen)	to phone, to call	toe foon, toe kol
belofte	promise	**pro**mis
beloven	to promise	toe **pro**mis
benauwd (in ademnood)	short of breath	sjo[r]t of breθ
benauwd (bedompt)	stuffy	**stuf**fi
benauwdheid (nood)	distress	dis**tres**
benauwdheid (bedomptheid)	stuffiness	**stuf**fines
beneden	down, below	douwn, bie**loow**
benzine	petrol	**pe**trol
benzinestation	petrol/filling station	**pe**trol/**fil**ling **stee**sjun
benzinetank	petrol/fuel tank	**pe**trol/ **fjoe**wel tenk
berg	mountain	**moun**ten
bergafwaarts	downhill	**douwn**hil
bergketen	mountain range	**moun**ten reendzj
berglandschap	mountain scenery	**moun**ten **sie**neri
bergschoen	mountaineering boot	**moun**teniering boet
bericht	message	**mes**sedzj
berm	verge, roadside	vurdzj, **rood**said
beroemd	famous	**fee**mus
beroep (vak)	profession, occupation	pro**fes**sjun, okkjoe**pee**sjun
beroep (appel)	appeal	up**piel**
beroep (juridisch)	appeal	up**piel**
beschadigen	to damage	toe **de**medzj
beschadiging	damage	**de**medzj
besmettelijk	contagious, catching, infectious	kon**tee**dzjus, **ket**sjing, in**fek**sjus
bespreken (reserveren)	to book, to reserve	toe boek, toe rie**zurv**
bespreken (erover praten)	to discuss	toe dis**kus**

best(e)	best	best
beste ... (aanhef)	dear ...	dier ...
bestek (tafelgerei)	cutlery	**kut**leri
bestellen (order)	to order	toe **o[r]**du[r]
bestellen (bezorgen)	to deliver	toe die**li**vu[r]
bestelling (order)	order	**o[r]**du[r]
bestemming	destination	desti**nee**sjun
betalen	to pay	toe pee
betekenen	to mean	toe mien
beter (dan)	better (than)	**bett**u[r] ðen
beter worden (genezen)	to recover	toe rie**ku**ve[r]
betrouwbaar	reliable	rie**la**jebul
bevolking (inwoners)	population	popjoe**lee**sjun
bevolking (volk)	people	**pie**pul
bewaakt	guarded	**gha[r]**did
bewaker	guard	gha[r]d
bewaking	surveillance, security	sur**vee**juns, se**kjoe**riti
bewijs	proof	proef
bewijsje (reçu)	receipt	rie**siet**
bewolkt	cloudy	**klou**die
bewusteloos	unconscious	un**kon**sjus
bezichtigen	to (pay a) visit (to), to tour	toe (pee) u **vi**zit (toe), toe toe[r]
bezienswaardigheid	place of interest, sight	plees of **in**terest, sait
bezoek	visit	**vi**zit
bezoeken	to visit	toe **vi**zit
bezwaar	objection	ob**djek**sjun
bezwaar (nadeel)	drawback	**droh**wbek
bezwaarschrift	(notice of) objection	(**no**tis ov) ob**djek**sjun
bieden	to offer	toe **of**fu[r]
bier (in fles)	beer	bie[r]
bier (van de tap)	draught	draaft
bij (voorz.)	near	nie[r]
bij (insect)	bee	bie
bijna	almost, nearly	**ol**moost, **nier**li
bijten	to bite	toe bait
bijzonder	special	**spe**sjul
biljet (affiche)	poster	**poos**tu[r]
biljet (kaartje)	ticket	**tik**ket
biljet (bank-)	(bank)note	(**benk**)noot
binnen (een grens)	within	wi** θin**
binnen (in huis)	inside, indoors	in**said**, in**doo[r]z**
binnengaan	to enter	toe **en**tu[r]

binnenlands	domestic	do**mes**tik
binnenplaats	court(yard)	**ko[r]t**ja[r]d
binnenweggetje (kortere weg)	short cut	sjo[r] kut
bioscoop	cinema	**si**nema
bitter	bitter	**bit**tu[r]
blaar	blister	**blis**tu[r]
blad (papier)	sheet	sjiet
blad (tijdschrift)	magazine	**meg**hezien
blad (boom)	leaf [mv. leaves]	lief [lievz]
blauw	blue	bloeh
blauwe plek	bruise	broez
bleek	pale	peel
blij	happy, cheerful	**hep**pie, **tsjie[r]**foel
blijdschap	happiness, high spirits	**hep**pienes, hai **spi**rits
blijven	to stay	toe stee
blik (oogopslag)	look, glance, glimpse	loek, ghlaans, ghlimps
blik (materiaal)	tin (plate)	tin (pleet)
blik (verpakking)	tin, can	tin, kən
blikgroente	tinned/canned vegetables	tind/kend **ve**dzjetebbulz
blikopener	tin/can opener	tin/ken **o**penu[r]
blind	blind	blaind
bloed	blood	blud
bloem (meel)	flour	flour
bloem (bloesem)	flower	**flou**wu[r]
bloot	naked	**nee**kid
blussen	to extinguish, to quench	toe ek**stin**ghwisj, toe kwentsj
bocht (kromming)	bend, curve	bend, kurv
bochtig	winding	**wain**ding
bodem (grond)	soil	sojl
boek	book	boek
boeken (reserveren)	to book	toe boek
boekhandel	bookshop	**boek**sjop
boer	farmer, peasant	**far**mu[r], **pe**zent
boerderij	farm	fa[r]m
boete	fine	fain
boodschap (bericht)	message	**mes**sedzj
boodschappen (doen)	to shop	toe sjop
boom	tree	trie
boord, aan	aboard, on board	u**boo[r]d**, on boo[r]d
boot	boat, ship	boot, sjip
bonen (bruine)	kidney beans	**kid**nie bienz
bonen (witte)	haricot beans	**her**rikot bienz

bonen (in tomatensaus)	baked beans	beekd bienz
bord (school)	blackboard	**blek**boo[r]d
bord(je) (ter aanduiding)	sign	sain
bord (eten)	plate	pleet
borst	breast	brest
borstel	brush	brusj
bos	wood, forest	woed, forest
bosweg	forest road	**fo**rest rood
bot (onscherp)	blunt	blunt
bot (been)	bone	boon
boter	butter	**but**tu[r]
boterham	sandwich	**send**witsj
botsing	collision, crash	kol**li**zjun, kresj
bouwen	to build	toe bild
boven (voorz.)	on top of, above	on top ov, u**buv**
boven (bijw.)	up(stairs)	up(sterz)
bovenop	on top	on top
braden	to roast, to fry	toe roost, toe frai
braken	to vomit	toe **vo**mit
brand	fire	fai[r]
brandblusser	fire extinguisher	fai[r] eksting hwisju[r]
brandmelder	fire alarm	fair u**la[r]m**
brandweer	fire brigade	fair **bri**gheed
brandwond	burn	bu[r]n
brandwondenzalf	ointment for burns	**ojnt**munt fo[r] bu[r]nz
breed	wide	waid
breedte	width, breadth	widθ, bredθ
breken	to break	toe breek
brengen (hierheen)	to bring	toe bring
brengen (daarheen)	to take	toe teek
breuk	fracture	**frek**tju[r]
brief	letter	**let**tu[r]
briefje (notitie)	note	noot
briefkaart	postcard	**poost**ka[r]d
briefpapier	notepaper	**noot**peepu[r]
brievenbus	postbox, letter box	**poost**boks, **let**tu[r] boks
bril	(pair of) glasses *mv*, spectacles *mv*	(pè[r] ov) **ghlaa**siz, **spek**tekuls
broek (kort)	shorts	sjo[r]ts
broek (lang)	trousers	**trou**zu[r]z
broeder (verpleger)	male nurse	meel nurs
broer	brother	**bru**θu[r]

bromfiets	moped	**mo**ped
brood	bread	brèd
broodje (belegd)	(filled) roll	(fild) rool
brug	bridge	bridzj
brugwachter	bridgemaster	**bridzj**maastu[r]
bruiloft	wedding	**wed**ding
bruin	brown	brouwn
bruin (door de zon)	tanned	tend
buik	belly, stomach	**bel**lie, **sto**mak
buikpijn	stomachache	**sto**mak-eek
buiten (platteland)	in the country(side)	in ðu **kun**tri(said)
bulten (niet binnen)	outside	out**said**
buitenland	foreign country	**fo**ren **kun**tri
buitenland (in het)	abroad	u**brohd**
buitenlander	foreigner	**fo**renu[r]
buitenverblijf	country house	**kun**tri hous
bumper	bumper	**bum**pu[r]
bureau (kantoor)	office	**of**fis
bureau (schrijftafel)	desk	desk
burgemeester	mayor	**mee**ju[r]
bus (stadsbus)	bus	bus
bus (touringcar)	coach	kootsj
bus (verpakking)	tin	tin
bushalte	bus stop	bus stop
busstation	bus station	bus **stee**sjun
buurt (wijk)	neighbourhood, district	**nee**bu[r]hoed, **di**strikt
buurt van, in de	near, around, about	nier, u**round**, u**bout**

c

cadeau	present	**pre**zent
café (koffiehuis)	coffee bar/shop, café	**kof**fieba[r]/sjop, ke**fee**
cake	cake	keek
camera	camera	**ke**mura
campingwinkel	camp site shop	kemp sait sjop
caravan	caravan	**ke**reven
carburateur	carburettor	**kar**bjoerettu[r]
carrosserie	body, coachwork	**bo**die, **kootsj**wu[r]k
centimeter	centimetre	**sen**timieter
centrale	central	**sen**trol
centrale verwarming	central heating	**sen**trol **hie**ting
centrum	centre	**sen**tu[r]
chartervlucht	charter flight	**tsja[r]**tu[r] flait
chassis	chassis, frame	**tjes**siez, freem

chef	manager	**me**nedzju[r]
chocolade (eten/drank)	chocolate	**tsjok**let
citroen	lemon	**le**mun
compleet	complete	kom**pliet**
compliment (prijzend)	compliment	**kom**plimunt
concert	concert	**kon**surt
condoom	condom	**kon**dom
conducteur	ticket collector	**tik**ket kol**lek**to[r]
confectiekleding	ready-to-wear (clothes)	**re**die-toe-wè[r]
contract	contract, agreement	**kon**trekt, u**ghrie**munt
controle	supervision, check	**soe**pervizjun, tsjek
corresponderen (brieven)	to correspond	toe korres**pond**
couchette	berth	burθ
coupé	compartment	kom**pa[r]t**munt

D

daar (aanwijzing)	there,	δe[r],
	[verder weg] over there	**o**vu[r] δe[r]
daarna	afterwards, next	**aaf**tu[r]wo[r]dz, nekst
daarom	therefore	δe**[r]**fo[r]
dadelijk	at once	et wens
dag	day	dee
dag! (bij aankomst)	hello!, hallo!	**hel**lo
dag! (bij vertrek)	goodbye!	ghoed**bai**
dagschotel	today's special	toe**dees spes**jol
dal	valley, [Schotland] glen	**vel**lie, ghlen
dam	dam	dem
dames	women, ladies	**wi**men, **lee**diez
damestoilet	ladies' (toilet)	**lee**diez (**toj**let)
dank	thanks, gratitude	θenks, **ghre**titjoed
dank u/je	thank you, [informeel] thanks	θenk joe, θenks
dansen	to dance	toe dens/daans
darm	intestine, bowel	in**tes**tien, **bou**wel
darminfectie	intestinal infection	in**tes**tinel in**fek**sjun
das (strop-)	tie	tai
das (sjaal)	scarf	sca[r]f
dat	that	δet
datum	date	deet
deel	part	pa[r]t
defect	faulty, defect	**fol**ti, die**fekt**
deken	blanket	**blen**ket
demonstratie (tonen)	presentation	presen**tees**jun
demonstratie (protest)	protest march	**proo**test ma[r]tsj

dependance	annexe	en**neks**
dessert	dessert, sweets *mv*-	des**su[r]t**, swiets
deur	door	doo[r]
deurknop	doorknob	**doo[r]**nob
deze (aanwijzend)	this ev, these *mv*	δis, δdiez
dia	slide	slaid
diaprojector	slide projector	slaid pro**djek**to[r]
diarree	diarrhoea	daja**rria**
dicht	closed	kloozd
dicht bij	close to, near	kloos toe, nie[r]
dichtbij	nearby	**nie[r]**bai
die (aanwijzend)	that ev, those *mv*	δet, δooz
die (betr. vnw. bij personen)	who	hoe
die (betr. vnw. bij zaken)	which	witsj
dieet	diet	**da**jet
dief	robber, thief [mv. thieves]	**rob**bu[r], θief [θievz]
diefstal	robbery, theft	**rob**burie, θeft
dienstregeling	timetable, schedule	**taim**teebul, **sje**djoel
diep	deep	diep
diepte	depth	depθ
diepvries	deep freeze	diep friez
diepvries (eten)	frozen food	**fro**zun foed
diepvriezer	freezer	**frie**zu[r]
dier	animal	**e**nimol
dierentuin	zoo	zoe
dierenvoedsel	pet food	pet foed
dieselolie	diesel oil/fuel	**die**zel ojl/**fjoe**wul
dik (compact)	thick	θik
dik (corpulent)	fat	fet
ding	thing	θing
direct (rechtstreeks)	direct, straight	dai**rekt**, street
direct (onmiddellijk)	immediately	im**mie**djetli
dit	this	δis
dochter	daughter	**doh**tu[r]
dodelijk	deadly, lethal	**ded**lie, **lie**θel
doek (stof)	cloth, fabric	kloθ, **fe**brik
doek (lapje)	cloth, rag	kloθ, regh
doel (oogmerk)	purpose, aim	**pu[r]**pus, eem
doen	to do	toe doe
dokter	doctor	**dok**to[r]
dood	dead	ded
doodlopend(e weg)	dead end (street)	ded end (striet)

doof	deaf	def
door (beweging)	through	θroeh
door (oorzaak)	because of	bie**koz** ov
doorgang (passage)	way through	wee θroeh
doos	box	boks
dop(je)	cap, top	kep, top
dorp	village	**vil**ledzj
dorst hebben	to be thirsty	toe bie θ**ur**sti
douane	customs	**kus**tumz
douche	shower	**sjou**wu[r]
draad	thread	θrèd
draaien	to turn	toe tu[r]n
dragen (kleding)	to wear	toe wè[r]
dragen (verplaatsen)	to carry	toe **ker**rie
dringend	urgent	**ur**dzjunt
drinken	to drink	toe drink
drinkwater	drinking water	**drin**king **wo**tu[r]
drogen	to dry	toe drai
droog	dry	drai
druk (vol)	pressure	**pres**sju[r]
druk (pressie)	crowded	**krouw**did
druk hebben, het	to be busy/occupied	toe bie **bi**zie/**ok**kjoepaid
drukken (beweging)	to press	toe pres
drukken (boeken)	to print	toe print
dubbel	double	**du**bul
duiken	to dive	toe daiv
duikplank	diving board, springboard	**dai**ving boh[r]d, **spring**boh[r]d
duim	thumb	θumb
Duits	German	**dzjeur**men
Duitse(r)	German	**dzjeur**men
Duitsland	Germany	**dzjeur**menie
duizeligheid	dizzyness	**diz**zines
dun	thin	θin
duren	to last	toe laast
durven	to dare	toe dè[r]
duur (tijd)	duration	djoe**rees**jun
duur (prijzig)	expensive	eks**pen**siv

E

echt	real	**rie**jel
echtgenoot	husband *m*, wife *v*	**hus**bend, waif
eenpersoonskamer	single room	**sin**ghul roem
eenrichtingsverkeer	one way traffic	wen wee **tref**fik

eenvoudig	simple	**sim**pul
eergisteren	the day before yesterday	ðu dee bie**fo[r] jes**turdee
eerlijk	honest	**o**nest
eerste	first	fu[r]st
eetbaar	edible	**e**dibul
eeuw	century	**sent**joeri
ei (hard gekookt)	hard-boiled egg	**ha[r]d**bojld egh
ei (zacht gekookt)	soft-boiled egg	**soft**bojld egh
ei (gebakken)	fried egg	fraid egh
eigendom	property	**pro**perti
eigenaar	owner	**oow**nu[r]
eiland	island	**aai**lend
eind(e)	end	end
eindpunt	terminus	**tur**minus
elastiekje	rubber band	**rub**be[r] bend
elektrisch	electric	ie**lek**trik
elk	every, each	**e**verie, ietsj
elleboog	elbow	**el**boow
emmer	bucket	**buk**ket
Engeland	England	**ing**lend
Engels	English	**ing**lisj
Engelsman	Englishman *m*,	**ing**lisjmen,
	Englishwoman *v*	**ing**lisjwoemen
enige (unieke)	only, sole	**oon**li, sool
enige (enkele)	some, any	sum, **e**nie
enkele reis	single, one way (ticket)	**sing**hul, wen wee (**tik**ket)
envelop	envelope	**en**veloop
erg (zeer)	very	**ve**rie
erg (ernstig)	awful, terrible	**ohw**foel, **ter**ribul
ergens	somewhere	**sum**wè[r]
ergens anders	somewhere else	**sum**wè[r] els
etalage	(shop) window	(sjop) **win**doow
eten	to eat	toe iet
eten(swaar)	food	foed
even (getal)	even	**ie**vun
even(tjes)	a little while	u **lit**tul wail
evenwijdig aan	parallel to	**pe**rellel toe
excuses	apologies	u**po**lodzjiez
expresse, per	by express delivery	bai eks**pres** di**li**verie
ezel	donkey	**don**kie

F

fabriek	factory, works	**fek**tori, wu[r]ks

familie	family	**fe**milie
familie zijn van	to be related to	toe bie rie**lee**tid toe
feest	party	**pa**[r]ti
feestdag	holiday	**ho**lidee
feestvieren	to celebrate, to party	toe **se**lubreet, toe **pa**[r]ti
fel	fierce, sharp	fiers, sja[r]p
feliciteren	to congratulate	toe kon**ghret**joeleet
fiets	bicycle, [populair:bike]	**bai**sikkul, baik
fietsenmaker	bicycle repair man	**bai**sikkul rie**pè**[r] men
fietspad	bicycle track	**bai**sikkul trek
fietsroute	bicycle route	**bai**sikkul roet
fietstocht	bicycle tour	**bai**sikkul toe[r]
fijn (plezierig)	nice, pleasant	nais, **ple**zent
fijn (niet grof)	fine	fain
file	tailback	**teel**bek
film (bioscoop)	film	film
filmcamera	film camera	film **ke**meru
filmrolletje	film	film
filter	filter	**fil**tu[r]
filterkoffie	filter coffee	**fil**tu[r] **kof**fie
filtersigaret	filter- tipped cigarette	**fil**tu[r]-tipd **si**gheret
flat	apartment building	u**part**munt **bil**ding
flauw (zoutarm, saai)	bland, insipid	blend, in**si**pid
flauwte	faint	feent
flauwvallen	to faint	toe feent
fles	bottle	**bot**tel
flets	pale, dull	peel, dul
fluiten	to whistle	toe **wis**sel
fontein	fountain	**foun**ten
fooi	tip	tip
formaat	size	saiz
foto	photo, picture	foto, **pik**tju[r]
fotograaf	photographer	fo**to**ghrefu[r]
fotokopie	photocopy, xerox	**fo**tokopi, **ksie**roks
fototoestel	camera	**ke**meru
fout (bijv. nw.)	wrong	rong
fout (zelfst. nw.)	mistake	mis**teek**
foutloos	impeccable	im**pek**kebul
frame	frame	freem
frankeren	to stamp	toe stemp
Frankrijk	France	fraans
Frans	French	frentsj

Fransman, Française	Frenchman, Frenchwoman	**frentsj**men, **frentsj**woemen
fris (vers)	fresh	fresj
fris (kil)	chilly	**tsjil**li
frisdrank	soft drink	soft drink
fruit	fruit	froet
fruitstalletje	fruit stand	froet stend

G

gaan	to go	toe gho
gaar	done, cooked	dun, koekd
gal	bile	bail
gang (gebouw)	corridor, hall(way)	**kor**rido[r], hol(wee)
gang (beweging)	gait, walk	gheet, wohk
gans	goose [mv. gheese]	ghoes, ghiez
garage (parkeerruimte)	garage	ghe**raazj**
garage (werkplaats)	garage, service station	ghe**raazj**, **sur**vis **stee**sjun
garantie	guarantee	**ghe**rentie
garantiebewijs	certificate of guarantee	sur**tif**fiket ov **ghe**rentie
garderobe (bewaarplaats)	cloakroom	**klook**roem
garen	thread	θrèd
gas	gas	ghez
gasfles	gas cylinder	ghez sai**lin**du[r]
gast	guest	ghest
gastheer	host m, hostess v	hoost, **hoos**tes
gastvrij	hospitable	**hos**pitebul
gat	hole	hool
gauw	soon	soen
gebakje	pastry, cake	**pees**tri, keek
gebakken	fried	fraid
gebergte	mountain range	**moun**ten reendzj
gebied (regio)	area	**è**riuh
gebied (vakterrein)	field	field
geboortedatum	date of birth	deet ov burθ
geboren	born	bo[r]n
gebouw	building	**bil**ding
gebraden	roasted	**roos**tid
gebroken	broken	**bro**kun
gebruik (het benutten)	use	joes
gebruik (traditie)	custom	**kus**tum
gebruiken	to use	toe joez
gebruiksaanwijzing	directions	dai**rek**sjun
gedachte	thought	θoht
gedeelte	part	pa[r]t

geduld	patience	**pee**sjens
geel	yellow	**jel**loow
geen	no	no
geen enkel(e)	none	nun
gehakt (vlees)	minced meat	minsd miet
geheel (bijv./zelfst. nw.)	total, whole	**to**tel, hool
gehoor (publiek)	audience	**oh**djens
gehoor (orgaan)	hearing	**hie**ring
gehoorapparaat	hearing aid	**hie**ring eed
gehuwd	married	**mer**ried
geit	goat	ghoot
gekoeld	refrigerated, cooled	rie**frid**zjeretid, koeld
gekookt	boiled	bojld
geld	money	**mu**nie
gelijk	equal, similar	**ie**kwel, **si**mile[r]
gelijk hebben	to be right	toe bie rait
geluid	sound	sound
geluidshinder	noise	nojz
gemak, op zijn	at ease, comfortable	et iez, **kom**fo[r]tebul
gemakkelijk	easy, comfortable	**ie**zi, **kom**fo[r]tebul
gemeente (administratief)	municipality	mjoenisi**pe**litie
gemeente (kerkelijk)	congregation	konghru**ghee**sjun
gemeentehuis	city/town hall	**si**tie/touwn hol
gemeenteraad	city/town council	**si**tie/touwn **koun**sil
gemengd	mixed	miksd
geneesmiddel	medicine	**me**disin
genezen (hersteld)	recovered	rie**ku**verd
genieten (plezier hebben)	to enjoy	toe en**djoj**
genoeg	enough	ie**nuf**
genoegdoening	satisfaction, atonement	setis**fek**sjun
genoegen	pleasure	**ple**zju[r]
gepast geld	exact money	ek**zekt mu**nie
gepensioneerd	retired	rie**taird**
gerecht (maaltijd)	dish, course	disj, ko[r]s
gerecht (rechtbank)	court	ko[r]t
gereedschap	tools	toelz
gereserveerd (van karakter)	reticent	rie**ti**sunt
gereserveerd (besproken)	booked	boekd
gering	small	smol
gerookt (vlees)	smoked	smookd
geroosterd	grilled, roasted	ghrild, **roos**tid
gescheiden (afzonderlijk)	separate	**se**pereet

186

gescheiden (juridisch)	divorced	die**vo[r]sd**
geschenk	present, gift	**pre**zunt, ghift
gesp	buckle	**buk**kel
gestreept	striped	straipd
getal	number	**num**bu[r]
getij	tide	taid
getuige	witness	**wit**nes
geur	smell, odour	smel, **o**deu[r]
geurig	fragrant	**free**ghrent
gevaar	danger	**deen**dzju[r]
gevaarlijk	dangerous	**deen**dzjurus
gevel	(house) front, façade	(hous) front, fe**saad**
geven	to give	toe ghiv
gevoel (zintuig)	touch	tutsj
gevoel (sentiment)	feeling	**fie**ling
gevoelig	sensitive	**sen**sitiv
gevogelte	fowl, poultry	fouwl, **pool**tri
gevolg (resultaat)	result	ri**zult**
gevonden	found	found
gevuld	stuffed	stufd
gewicht	weight	weeht
gewond	wounded, hurt, injured	**woen**did, hu[r], **in**djurd
gewonde	casualty	**ke**sjoewelti
gewoon (normaal)	normal, ordinary	**no[r]**mel, **or**dineri
gewoonte	habit	**he**bit
gezellig	cosy	**ko**zi
gezicht	face	fees
gezicht op	view of, overlooking	vjoew ov, ove[r]**loe**king
gezin	family	**fe**nilie
gezond	healthy	**hel**θi
gezondheid	health	helθ
gids (boek, persoon)	guide	ghaid
gif	poison	**poj**zun
giftig	poisonous, toxic	**poj**zunus
glad (glibberig)	slippery	**slip**peri
glad (effen)	smooth	smoeθ
gladheid	black ice, ice on the road	blek ais, ais on ðe rood
glas (materiaal, voorwerp)	glass	ghlaas
goed (bijv. nw.)	good	ghoed
goed (bijw.)	well	wel
goedkoop	cheap	tsjiep
gordel	belt	belt

gordijn	curtain	**kur**ten
goud	gold	ghoold
gouden	gold	ghoold
graag (met plezier)	gladly, with pleasure	**ghled**li, wiθ **ple**zju[r]
graag! (na een aanbod)	thank you, yes please	θenk joe, jes pliez
graat	fish bone	fisj boon
graden (temperatuur)	degrees	de**ghrie**
gras	grass	ghraas
grasveld	lawn	lohwn
gratis	free	frie
graven	to dig	toe digh
grens	border	**bo[r]**du[r]
griep	flue	floeh
grijs	grey	ghree
groen	green	ghrien
groente(n)	vegetable(s)	**ve**dzjetebul(z)
groentehandelaar	greengrocer	**ghrien**ghrosu[r]
groep	group, party	ghroep, **pa[r]**ti
groet	greeting	**ghrie**ting
groeten uit	best wishes from	best **wi**sjes from
groeten, doe hem/haar de	give him/her my regards	ghiv him/hu[r] mai rie**gha[r]dz**
grond (land)	soil, land	sojl, lend
grond (reden)	reason	**rie**zun
grond (vloer)	floor	floo[r]
grondzeil	ground sheet	**ghround**sjiet
groot	large, big	lardzj, bigh
Groot-Brittannië	Great Britain	ghreet **bri**ten
grootte (omvang)	size	saiz
grot	cave	keev
gunstig	favourable	**fee**vorebul

H

haai	shark	sja[r]k
haak	hook	hoek
haar	hair	hè[r]
haarlak	hair spray	hè[r] spree
haarspeldbocht	hairpin bend	**hè[r]**pin bend
haast (zelfst. nw.)	hurry	**hur**ri
hagel	hail, sleet	heel, sliet
hak	heel	hiel
hakken	to chop	toe tsjop
hal	hall, lobby	hol, **lob**bie
halen	to fetch	toe fetsj

half	half	haaf
hals	neck	nek
halte	(bus) stop	(bus) stop
ham	ham	hem
hamer	hammer	**hem**mu[r]
hand	hand	hend
handdoek	towel	**tou**wel
handel	trade	treed
handig (nuttig)	practical, useful	**prek**tikol, **joes**foel
handig (bekwaam)	skilful	**skil**foel
handleiding	manual	**me**njoewel
handrem	handbrake	**hend**breek
handtasje	handbag	**hend**begh
handtekening	signature	**sigh**netjoe[r]
handwerk	needlework	**nie**delwu[r]k
handwerk (ambachtswerk)	handiwork, handicrafts *mv*	**hen**diwu[r]k, **hen**dikraafts
hard (snel)	fast	faast
hard (luid)	loud	loud
hard (stevig)	firm	fu[r]m
hardhandig	rough, harsh	ruf, ha[r]sj
hart	heart	ha[r]t
hartig	savoury, spicy	**see**vuri, **spai**si
hartpatiënt, ik ben	I have a heart condition	ai hev u **ha[r]t**kondisjun
haven	harbour, port	**ha[r]**bu[r], po[r]t
hebben	to have	toe hev
heel (geheel)	whole, entire	hool, en**tai[r]**
heel (intact)	complete, undamaged	kom**pliet**, un**do**medzjd
heer	gentleman	**dzjen**telmen
heerlijk	lovely	**luv**li
heet	hot	hot
hek	fence	fens
helder	clear	klie[r]
helemaal	entirely, completely	en**tai[r]**li
helft	half	haaf
helling	slope	sloop
hemd (overhemd)	shirt	sju[r]t
hemd (onderhemd)	vest, singlet	vest, **sin**ghlet
hemel	heaven	**he**vun
herfst	autumn	**oh**tum
herhalen	to repeat	toe rie**piet**
herhaling	repetition, repeat	repe**tis**jun, rie**piet**
hersenschudding	concussion	kon**kus**sjun

herstellen (repareren)	to mend, to repair	toe mend, to rie**pè[r]**
herstellen (genezen)	to recover	toe rie**ku**ve[r]
hetzelfde	the same	δu seem
heup	hip	hip
heuvel	hill	hil
hier	here	hie[r]
hierheen	(over) here	(**o**vu[r]) hie[r]
hoe	how	houw
hoed	hat	het
hoek	corner	**ko[r]**nu[r]
hoe lang (tijd)	how long	houw long
hoesten	to cough	toe kuf
hoeveel	[ev] how much,	houw mutsj,
	[mv] how many	houw **me**nie
hond	dog	dogh
hondsdolheid	rabies	**ree**bijes
honger (hebben)	to be hungry	toe bie **hun**ghri
hoofd (lichaam)	head	hèd
hoofd (chef)	head, chief	hèd, tsjief
hoofdstraat	main street	meen striet
hoofdweg	main road	meen rood
hoog	high	hai
hoogte	height	hait
hoogte, op de	in the know, informed	in δu now, in**fo[r]**md
hoogtevrees	fear of heights, vertigo	fie[r] ov haits, **vur**tigho
horen	to hear	toe hie[r]
horens	horns	ho[r]nz
horloge	watch	wotsj
houdbaar tot	best before	best bie**fo[r]**
houden (bewaren)	to keep	toe kiep
houden (vasthouden)	to hold	toe hoold
houden van (lekker vinden)	to like	toe laik
houden van (liefhebben)	to love	toe luv
hout	wood	woed
houtskool	charcoal	**tsja[r]**kool
huid	skin	skin
huilen	to cry	toe krai
huis	house	hous
huisarts	general practitioner	**dzje**nerel prek**ti**sjonu[r]
	(GP)	(dzjie-pie)
huishoudelijke artikelen	household appliances	**hous**hoold up**plai**ensiz
huishouding	housekeeping	hous**kie**ping

huisvrouw	housewife	**hous**waif
huiswerk	homework	**hoom**wu[r]k
hulp	help	help
huren	to hire, to rent	toe hair, toe rent
hut (gebouw)	hut, shack	hut, sjek
hut (schip)	cabin	**ke**bin
huur	rent	rent
huurauto	rented car	**ren**tid ka[r]
huwelijk	marriage	**me**rrijedjʑ
ideaal	ideal	ai**die**jel
identificatie	identification	aidentifi**kee**sjun
identiteitsbewijs	identity card	ai**den**titi ka[r]d
ieder	every, each	**e**veri, ietsj
iedereen	everyone, everybody, all	**e**veriwen,**e**veribodi, ol
iemand (met enige zekerheid)	someone, somebody	**sum**wen, **sum**bodi
iemand (onzeker wie)	anyone, anybody	**e**niwen, **e**nibodi
iets	something, anything	**sum**θing, **o**niθing
ijs (bevroren water)	ice	ais
ijs (consumptie-)	ice cream	ais kriem
ijsblokjes	ice cubes	ais kjoebz
ijzel	glazed frost	ghleezd frost
ijzer	iron	**ai**run
ijzerdraad	(iron) wire	(**ai**run) wair
imitatie (nagemaakt)	imitation	**i**mi**tee**sjun
imitatie (iemand nadoen)	impersonation	impu[r]so**nee**sjun
imperiaal	roof rack	roef rek
inbegrepen	included	in**kloe**did
indeling	division	di**vi**zjun
inderdaad	indeed	in**died**
ineens (plotseling)	suddenly, all of a sudden	**sud**denli, ol ov u **sud**dun
inenten	to vaccinate, to inoculate	toe **vek**sineet, toe in**ok**joeleet
infectie	infection	in**fek**sjun
informatie	information	infor**mee**sjun
informatiebureau	information office	infor**mee**sjun **of**fis
informeren (mededelen)	to inform	toe in**fo[r]m**
informeren naar	to inquire about, to ask for	toe in**kwair** ubout, toe aask fo[r]
ingewanden	bowels, entrails	**bou**wulz, **en**treelz
inhaalverbod	no overtaking	no ovu[r]**tee**king
inhalen	to overtake	ovu[r]**teek**
inham (baai)	bay, inlet	bee, **in**let
inheems	indigenous, endemic, native	in**di**dzjenus, en**de**mik, **nee**tiv

injectienaald	hypodermic needle	**hai**podu[r]mik **nie**dul
inkopen doen	to go shopping	toe gho **sjop**ping
inkt	ink	ink
inktvis	squid, octopus	skwid, **ok**topus
innemen (medicijn)	to take, to swallow	toe teek, toe **swol**low
in orde!	OK!, All right!	o**kee**, ol rait
inrijden	to drive into	toe draiv **in**toe
inschenken	to pour	toe poehr
inschepen	to embark	toe emba[r]k
inschrijven	to register, to enter, to enroll	toe **re**dzjistu[r], toe **en**tu[r], toe en**rool**
insect	insect	**in**sekt
insectenbeet	insect bite	**in**sekt bait
instappen	to get in/on, to board	toe ghet in/on, toe boh[r]d
interessant	interesting	**in**teresting
interlokaal	intercity	inter**si**ti
interlokaal gesprek	trunk/long distance call	trunk/long **dis**tens kol
internationaal	international	intur**ne**sjonel
invalide	disabled	dis**ee**buld
invalidenwagen	wheelchair	**wiel**tsjè[r]
invoeren (maatregel)	to introduce, to implement	toe intro**djoes**, toe **im**plument
invoeren (importeren)	to import	toe im**po[r]t**
invoerrechten	import duties, customs	**im**po[r]t **djoe**tiez, **kus**tums
invullen	to fill in, to complete	toe fil in, toe kom**pliet**
inwendig	internal	in**tu[r]**nel

J

jaar	year	jie[r]
jaarlijks	annual	**en**njoewel
jacht (dieren doden)	hunt(ing)	**hunt**(ing)
jacht (schip)	yacht	joht
jam	jam, marmelade	dzjem, **ma[r]**meleed
jammer, het is	it's a pity	its u **pi**ti
jarig, ik ben	(today's my) birthday	(toe**dees** mai) **bur**θdee
jas (lang)	coat	koot
jasje (colbert)	jacket	**djek**kut
jeugdherberg	youth hostel	joeθ **hos**tel
jeuk	itch	itsj
jeuken	to itch	toe itsj
jodium	iodine	**ai**odien
jong (bijv. nw.)	young	jung
jong (dier)	young	jung
jong (roofdier)	cub	kub

jong (hond)	puppy	**pup**pi
jongen	boy	boj
juist	correct, right	kor**rekt**, rait
jurk	dress	dres
juweel	jewel	**djoe**wul
juwelier	jeweller, jewellery shop	**djoe**wullu[r], **djoe**wulleri sjop

K

kaak	jaw	djohw
kaars	candle	**ken**del
kaart (land-)	map	mep
kaart (brief-)	postcard	**poost**ka[r]d
kaart (speel-)	playing card	**plee**jing ka[r]d
kaarten (spelen)	to play cards	toe plee ka[r]dz
kaartje	ticket	**tik**ket
kaas	cheese	tsjiez
kabel (elektriciteit)	wire, cable, flex	wai[r], **kee**bel, fleks
kabel (dik touw)	cable	**kee**bel
kachel	stove, heater	stoov, **hie**tu[r]
kade	quay	kie
kader (rang)	executives *mv*, management	ek**ze**kjoetivz, **me**nedzjmunt
kader (omlijsting)	frame	freem
kakkerlak	cockroach	**kok**rootsj
kalfsvlees	veal	viel
kam	comb	koem
kamer	room	roem
kamermeisje	chambermaid	**tsjeem**bu[r] meed
kamp (leger)	camp	kemp
kampeerterrein	camp, camping site	kemp, **kem**ping sait
kampeeruitrusting	camping equipment/gear	**kem**ping ie**kwip**munt/ghie[r]
kampeerverbod	no camping	no **kem**ping
kampeervergunning	camping license	**kem**ping **lai**sens
kamperen	to camp	toe kemp
kampkaart	camping permit	**kem**ping **pu[r]**mit
kampvuur	campfire	**kemp**fair
kampwinkel	camp site shop	kemp sait sjop
kan	jug	djugh
kanaal	channel	**tsjen**nul
kano	canoe	ke**noe**
kans	chance	tsjaans
kant (zijde)	edge, side	edzj, sait
kant (richting)	way, direction	wee, dai**rek**sjun
kant (materiaal)	lace	lees

kantoor	office	**of**fis
kantoorbehoeften	office supplies *mv*	**of**fis sup**plaiz**
kap (van motor)	bonnet	**bon**net
kapot	broken (down)	**bro**kun (douwn)
kappen (bomen)	to cut down	toe kut douwn
kappen (haar verzorgen)	to do my/your/her hair	toe doe mai/jo[r]/hu[r] hè[r]
kapper	hairdresser	**hè[r]**dressu[r]
kar	cart, barrow	ka[r]t, **ber**row
karaf	decanter	die**ken**tu[r]
karnemelk	buttermilk	**but**tu[r]milk
kassa	cash register	kesj **re**dzjistu[r]
kast	closet, cupboard	**klo**zzet, **kup**boh[r]d
kasteel	castle	**kaa**sel
kat	cat	ket
kater (nawerking)	hangover	**heng**ovu[r]
kathedraal	cathedral	ke**θie**drol
katholiek (rooms-)	(Roman) Catholic	(**ro**men) **ke**θolik
katoen	cotton	**kot**tun
kauwen	to chew	toe tsjoew
kauwgom	chewing gum	**tsjoe**wing ghum
keel	throat	θroot
keelpijn	sore throat	soor θroot
kelder	basement	**bees**munt
kennis (wetenschap)	knowledge	**nol**ledzj
kennis (bekende)	acquaintance	u**kween**tens
kennismaken	to meet	toe miet
kennismaking	introduction	intro**duk**sjun
kerk	church	tsjurtsj
kerkdienst	(church) service	(tsjurtsj) **su[r]**vis
kerkhof	cemetery, churchyard, graveyard	**se**meteri, **tsjurtsj**ja[r]d **ghreev**ja[r]d
ketting	chain	tsjeen
keuken	kitchen	**kit**sjun
kies	molar, tooth [mv teeth]	**mo**le[r], toeθ, tieθ
kiespijn	tooth ache	**toe**θ eek
kiezen (een keus maken)	to choose	toe tsjoez
kiezen (stem uitbrengen)	to vote	toe voot
kijken	to look	toe loek
kin	chin	tsjin
kind	child	tsjaild
kinderbedje	cot	kot
kinderstoel	high chair	hai tsjair

kinderwagen	pram	prem
kiosk	newsstand	**njoewz**stend
kip (penvlees)	chicken	**tsjik**kun
kist	case, crate	kees, kreet
klaar (gereed)	ready	**re**di
klacht	complaint	kom**pleent**
klachtenformulier	complaints form	kom**pleents** fo[r]m
klagen (klacht indienen)	to complain	toe kom**pleen**
klagen (jammeren)	to moan	toe moohn
klasse	class	klaas
klederdracht	traditional dress/costume	tre**di**sjonel dres/**kost**joem
kleding	clothes *mv*	kloo θz
klein	small	smol
kleingeld	(small) change	(smol) tsjeendzj
kleinkind	grandchild	**ghrend**tsjaild
kleinzoon, dochter	grandson *m*, granddaughter *v*	**ghrend**sun, **ghrend**dohtu[r]
klep	valve	velv
kleren	clothes	kloo θz
klerenhanger	coat hanger, peg	koot **hen**ger, pegh
klerenkast	wardrobe	**wo[r]d**roob
kleur	colour	**ku**lur
kleuren (blozen)	to blush	toe blusj
klimaat	climate	**klai**met
klip	cliff, rock	klif, rok
klok	clock	klok
klokkentoren	clock/bell tower	klok/bel **tou**wu[r]
klontje	lump	lump
kloof	gorge, crevice	ghoordzj, **kre**vis
klooster	monastery, convent	**mo**nesteri, **kon**vent
kloosterling	monk *m*, nun *v*	munk, nun
kloostergang	cloister	**kloj**stu[r]
kloostertuin	convent/monastery garden	**kon**vent/**mo**nesteri **gha[r]**dun
kloosterzuster	nun, sister	nun, **sis**tu[r]
kloppen (op de deur)	to knock	nok
klopt, het	that's correct	ðets kor**rekt**
klosje	reel	riel
knie	knee	nie
knieschijf	kneecap	**nie**kep
knippen	to cut	toe kut
knipperlicht	indicator, blinker	indie**ke**to[r], **blin**ku[r]
knoflook	garlic	**gha[r]**lik

knoop (in draad)	knot	not
knoop (van kledingstuk)	button	**but**tun
knop (deur-)	knob	nob
knop (bloem)	bud	bud
knop (druk-)	button, switch	**but**tun, switsj
koek	cake	keek
koekje	biscuit	**bis**kit
koel	cool, chilly	koel, **tsji**li
koelkast	refrigerator, [populair] fridge	rie**frid**zjeretu[r], fridzj
koers (geld)	(exchange) rate	(ekst**sjeendzj**) reet
koers (richting)	course, direction	kohrs, dai**rek**sjun
koffer	suitcase	**soet**kees
koffie	coffee	**kof**fie
koffieboon	coffee bean	**kof**fie bien
koffiepot	coffee pot	**kof**fie pot
kok	cook, chef	koek, sjef
koken (eten)	to cook	toe koek
komen	to come	toe kum
kompas	compass	**kom**pes
koning	king *m*, queen *v*	king, kwien
kool	cabbage	**keb**bedzj
koop, te	for sale	fo[r] seel
koorts	fever	**fie**vu[r]
kopen	to buy	toe bai
koper (iemand die koopt)	buyer	**bai**u[r]
koper (rood, metaal)	copper	**kop**pu[r]
koper (geel, metaal)	brass	braas
kopje	cup	kup
koppeling	clutch	klutsj
kort	short	sjo[r]t
korting	discount	**dis**kount
kortsluiting	short circuit	sjo[r]t **sur**kut
kosten (zelfst. nw.)	costs, expenses	kosts, eks**pen**siz
kosten	to cost	toe kost
kostuum	suit	soet
koud	cold	koold
kousen	stockings	**stok**kingz
kraag	collar	**kol**ler
kraamkliniek	maternity ward	me**tur**niti wo[r]d
kraampje	stand, booth	stend, boeθ
kraan (water-)	tap	tep
kraan(wagen)	breakdown van/truck	**breek**douwn ven/truk

krab	crab	kreb
krant	newspaper	**njoewz**peepu[r]
kreeft (zee-)	lobster	**lob**stu[r]
krijgen	to get	toe ghet
krik	jack	djek
kruiden	herbs	hu[r]bz
kruidenier (winkel)	grocer	**ghro**su[r]
kruidenierswaren	groceries	**ghro**suriez
kruik	pitcher, jug	**pit**sju[r], djugh
kruis	cross	kros
kruising	crossing, junction	**kros**sing, **djunk**sjun
kuil	pit, hole	pit, hool
kuit (been)	calf [mv. calves]	kaaf, kaavz
kunnen	to can	toe ken
kunnen (in staat zijn)	to be able to	toe bie **ee**bul toe
kunst	art	a[r]t
kunstenaar	artist	**a[r]**tist
kunstgebit	false teeth, dentures	fols tieθ, **den**tjoerz
kunstmatig(e ademhaling)	artificial (respiration)	a[r]ti**fi**sjel (respi**ree**sjun)
kurk	cork	ko[r]k
kurkentrekker	corkscrew	ko[r]k skroew
kus	kiss	kis
kussen	to kiss	toe kis
kussen (zelfst. nw.)	pillow	**pil**loow
kussensloop	pillow case	**pil**loow kees
kust	coast	koost
kustwacht	coast guard	koost gha[r]d
kwaal	ailment, illness	**eel**munt, **il**nes
kwal (dier)	jellyfish	**djel**lifisj
kwaliteit	quality	**kwo**liti
kwalijk nemen (verwijten)	to blame	toe bleem
kwalijk, neem mij niet (storen)	excuse me	ek**skjoes** mie
kwalijk, neem mij niet (spijt)	I am sorry	aim em **sor**ri
kwart	quarter	**kwo[r]**tu[r]
kwartier (tijd)	quarter (of an hour)	**kwo[r]**tu[r] (ov un ou[r])
kwijt zijn	to have lost	toe hev lost
kwijtraken	to lose	toe loez
kwijtschelden	to acquit	to u**kwit**
kwitantie	receipt	rie**siet**

L

laag (bijv. nw.)	low	loow
laag (zelfst. nw.)	layer	**lee**je[r]

laars	boot	boet
laat	late	leet
laatst (onlangs)	recently	**rie**sentli
laatste	last, final	laast, **fai**nel
lachen	to laugh	toe laaf
laken (beddengoed)	sheet	sjiet
lam (verlamd)	paralysed	**pe**relaizd
lam(svlees)	lamb	lem
lamp	lamp	lemp
land (grond)	land	lend
land (staat)	country, nation	**kun**tri, **nee**sjun
landelijk (van het platteland)	rural	**roe**rel
landen (luchtvaart)	to land, to touch down	toe lend, toe tutsj douwn
landing	landing, touchdown	**len**ding, **tutsj**douwn
landkaart	map	mep
landschap	landscape	**lend**skeep
lang (mens)	tall	tol
lang (afstand/tijd)	long	long
langdurig	lengthy, protracted, prolonged	**leng**θi, pro**trek**tud, pro**londzj**d
langs	along	u**long**
langzaam	slow	sloow
langzamerhand	gradually	**ghre**djoewelli
lantaarn (straat-)	streetlamp	**striet**lemp
lap (stof)	length/piece of cloth	lengθ/pies ov kloθ
lap grond	piece of land	pies ov lend
lassen	to weld	toe weld
last (gewicht)	load, burden	lood, **bur**dun
last, ik heb last van	I am suffering from	ai em **suf**fering from
lastig	awkward, inconvenient	**ohwk**wurd, inkon**vie**njunt
lastigvallen	to trouble, to hassle	toe **tru**bul, toe **hes**sul
lauw (temperatuur)	tepid, lukewarm	tepid, **loek**wo[r]m
lawaai	noise	nojz
lawaaierig	noisy	**noj**zi
laxeermiddel	laxative, purgative	**lek**setiv, **pur**ghetiv
leeg	empty	**emp**ti
leeglopen (band)	to go flat	toe gho flet
leer (materiaal)	leather	**le**θu[r]
leggen	to lay/put (down)	toe lee/poet (douwn)
legitimatiebewijs	identification (card)	aidentifi**kee**sjun
lek (zelfst. nw.)	leak	liek
lekke band	puncture(d tyre)	**punk**tjur(d tair)

lekker	nice, tasty	nais, **tees**ti
lelijk	ugly	**ugh**li
lenen aan	to lend	toe lend
lenen van	to borrow	toe **bor**row
lengte (mens)	height	hait
lengte (afstand)	length	lengθ
lens	lens	lens
lente	spring	spring
lepel	spoon	spoen
lepeltje	teaspoon	**tie**spoen
leren (onderwijzen)	to teach	toe tietsj
leren (studeren)	to learn, to study	toe lurn, toe **stu**di
leuk	nice, jolly, amusing	nais, **djol**li, u**mjoe**zing
leunen op	to lean on/against	toe lien on/u**gheenst**
leuning (stoel: rugzijde)	back	bek
(stoel: armleuning)	armrest	**a[r]m**rest
leuning (trap)	rail, bannisters *mv*	reel, **ben**nistu[r]z
leve ...	long live ...	long liv ...
leven	to live	toe liv
leven (zelfst. nw.)	life	laif
levend	living, live, alive	**li**ving, laiv, u**laiv**
levensmiddelen	food, foodstuffs *mv*	foed, **foed**stufs
lezen	to read	toe ried
lichaam	body	**bo**di
lichamelijk	physical	**fi**zikel
lichamelijke opvoeding	physical education (PE)	**fi**zikel edjoe**kee**sjun (pie-ie)
licht (gewicht)	light	lait
licht (gemakkelijk)	easy	izi
licht (van kleur)	light, bright	lait, brait
licht (zelfst. nw.)	light	lait
lichting (post)	collection	kol**lek**sjun
lief	sweet, dear	swiet, die[r]
liefde	love	luv
liefhebberij	hobby, pastime	**hob**bi, p**aas**taim
liegen	to lie	toe lai
liever hebben	to prefer	toe prie**feu[r]**
lift (hijswerktuig)	lift, elevator	lift, **e**leveetu[r]
lift (geven)	to give a ride	toe ghiv u raid
liften	to hitchhike	toe **hitsj**haik
lifter	hitchhiker	**hitsj**haiku[r]
liggen (op iets)	to lie	toe lai
liggen (gelegen zijn)	to be situated/located	toe bie **si**tjoeweetid/lo**kee**tid

ligstoel	deckchair	**dek**stjè[r]
lijm	glue	ghloe
lijmen	to glue (together)	toe ghloe (toe**ghe**θu[r])
lijn (streep/openbaar vervoer)	line	lain
lijn (draad)	rope, string	roop, string
likken	to lick	toe lik
links(af)	(to the) left	(toe δu) left
linnen (bijv. nw.)	linen	**lai**nen
linnen (zelfst. nw.)	linen, cloth	**lai**nen, kloθ
linnengoed	linen	**lai**nen
lint	ribbon	**rib**bun
lip	lip	lip
lippenstift	lipstick	lipstik
liter	litre	**lie**tu[r]
logeren	to stay	toe stee
logies en ontbijt	bed and breakfast	bed end **brek**fest
loket	counter, window	**koun**tu[r], **win**doow
long	lung	lung
lopen (te voet)	to walk	toe wohk
lopen (mechaniek)	to run	toe run
los	loose, untied	loes, un**taid**
losmaken	to release, to untie	toe rie**lies**, toe un**tai**
lossen (lading)	to discharge, to unload	toe dis**tsjardzj**, toe un**lood**
lucht (hemel)	sky	skai
lucht (natuurk.)	air	è[r]
luchtballon	hot air balloon	hot è[r] **bel**loen
luchtbed	air mattress	è[r] **met**tres
luchten (verfrissen)	to air	toe è[r]
luchthaven	airport	**è[r]**po[r]t
luchtpost, per	by airmail	bai **è[r]**meel
luchtvaart	aviation	eevi**jee**sjun
luchtziek	airsick	**è[r]**sik
lucifer	match	metsj
luciferdoosje	matchbox	**metsj**boks
lui	lazy	**lee**zi
luid	loud	loud
luier	napkin, nappy	**nep**kin. **nep**pi
luisteren	to listen	toe **lis**sun
luis	louse	lous
lunch	lunch	luntsj
lunchpakket	packed lunch	pekd luntsj

M

Nederlands	Engels	Uitspraak
maag(pijn)	stomach(ache)	**sto**mek(eek)
maagzuur	heartburn	**ha[r]t**bu[r]n
maand	month	munθ
maandverband	sanitary towel	**se**niteri touwul
maat (kleding)	size	saiz
machtiging	authorization	ohθoorai**zee**sjun
mager	slim, lean	slim, lien
magneet	magnet	**megh**nut
makelaar	estate/house agent	es**teet**/hous **ee**dzjunt
maken (vervaardigen)	to make	toe meek
maken (repareren)	to mend	toe mend
makkelijk	easy	**ie**zi
man	man	men
man (echtgenoot)	husband	**hus**bend
mand	basket	**baas**ket
mank	lame	leem
marmer	marble	**ma[r]**bul
massief (bijv. nw.)	solid	**so**lid
massief (zelfst. nw.)	massif	**mes**sif
mast	mast	maast
matras	mattress	**met**tres
maximumsnelheid	maximum speed	**mek**simum spied
mededeling	announcement	en**nouns**munt
medicijn	medicine	**me**disin
meel	flour	flour
meer (zelfst. nw.)	lake	leek
meer (bijw.)	more	moo[r]
meer dan	more than	moo[r] ðen
meisje	girl	ghu[r]l
melk	milk	milk
melkpoeder	dehydrated milk	**die**haidreetid milk
meloen	melon	**me**lun
mes	knife [mv. knives]	naaif, naaivz
mevrouw	madam, miss	**me**dem, mis
middag	afternoon	**aaf**tu[r]noen
middageten	lunch	luntsj
midden	middle	**mid**dul
middernacht	midnight	**mid**nait
mier	ant	ent
minder	less	les
minder dan	less than	les ðen

misschien	maybe	**mee**bie
misselijk zijn	to be sick/queasy/ nauseous	toe bie sik/**kwie**zi/ **noh**zius
mist	fog	fogh
misverstand	misunderstanding	**mis**undu[r]stending
modder	mud	mud
moe	tired	taird
moeder	mother	**mu**θu[r]
moeilijk	difficult	**dif**fikult
moer	nut	nut
moeras	swamp	swomp
moeten	to have to, to be obliged, to must, to need to	toe hev toe, toe bie o**blaai**dzjd toe must, toe nied toe
mogelijk	possible	**pos**sibul
molen	mill	mil
mond	mouth	mouθ
mondeling	oral	**o**rel
monnik	monk	munk
monteur	mechanic	me**ke**nik
montuur	frame	freem
mooi	beautiful	**bjoe**tifoel
morgen (ochtend)	morning	**mo[r]**ning
morgen (volgende dag)	tomorrow	toe**morr**oow
morgens, 's	in the morning	in ðu **mo[r]**ning
mosterd	mustard	**mus**te[r]d
motor	engine	**en**dzjin
motorboot	motorboat, cabin cruiser	**mo**to[r[boot, **ke**bin **kroe**su[r]
motorfiets	motorbike, motorcycle	**mo**to[r]baik, **mo**to[r]saikul
motorkap	bonnet	**bon**net
motorpech	engine trouble	**en**dzjin **tru**bul
mouw	sleeve	sliev
mug	mosquito	mos**kie**to
muis	mouse	mous
munt	coin	kojn
muntenverzamelaar	coin collector	kojn kol**lek**to[r]
museum	museum	mjoe**zie**jum
muur (wand/wal)	wall	wol
muziek	music	**mjoe**zik

N

naaien	to sew	toe soew
naald	needle	**nie**dul
naam	name	neem

naast	next to	nekst toe
nacht	night	nait
nachtwaker	night watch(man)	nait **watsj**(men)
nagel	nail	neel
nagellak	nail polish/varnish	neel **po**lisj/**va[r]**nisj
nagelschaartje	nail scissors *mv*	neel **sis**surz
nagelvijltje	nailfile	**neel**fail
nakijken	to check	toe tsjek
namaak	imitation	imi**tee**sjun
nat	wet	wet
nationaliteit	nationality	nesjo**ne**liti
natuur	nature	**neet**ju[r]
natuurlijk (vanzelfsprekend)	of course	ov kohz
natuurlijk (van de natuur)	natural	**ne**tjoerel
nauw	narrow	**ner**row
nauwelijks	hardly	**ha[r]d**li
nauwkeurig	painstaking, accurate	peens**tee**king, **ek**kjʌerut
Nederland	Netherlands, Holland	ne0u[r]lendz, **holl**and
Nederlander	Dutchman *m*, Dutchwoman *v*	**dutsj**men, **dutsj**woemen
Nederlands	Dutch	dutsj
neef (kind van oom/tante)	cousin	**ku**zin
neef (oomzegger)	nephew	**ne**fjoew
neerzetten	to put down	toe poet douwn
negatief (bijv. nw.)	negative	**ne**ghetiv
net (bijv. nw.)	neat, tidy	niet, **tai**di
net (zelfst. nw.)	net	net
net (zojuist)	just	djust
neus	nose	nooz
nicht (kind van oom/tante)	cousin	**ku**zin
nicht (oomzegger)	niece	nies
niemand	no one, nobody	no wen, **no**bodi
niets	nothing	**nu**θing
nieuw	new	njoew
nieuws	news	njoewz
nieuwsblad	newspaper	**njoewz**peepu[r]
niezen	to sneeze	toe sniez
nodig hebben	to need/want/require	toe nied/wont/rie**kwai[r]**
nodig zijn	to be necessary	toe bie **ne**sesseri
nog	still, yet	stil, jet
nogal	rather	**ra**ðu[r]
noodrem	emergency brake	ie**mur**dzjensie breek
nooduitgang	emergency exit	ie**mur**dzjensie **ek**sit

noodverband	first aid drewssing, temporary dressing	fu[r]st eed **dres**sing, **tem**poreri **dres**sing
nooit	never	**ne**vu[r]
noorden	north	norθ
noot (vrucht)	nut	nut
noot (muziek)	note	noot
normaal	normal, ordinary	**no[r]**mel, **o[r]**dineri
nota	bill, account	bil, ek**kount**
noteren	to note, to jot down	toe noot, toe djot douwn
nu	now	nouw
nummer	number	**num**bu[r]
nummerplaat	numberplate	**num**bu[r]pleet

O

ober	waiter	**wee**tu[r]
ochtend	morning	**mo[r]**ning
oever	bank	benk
of	or	o[r]
officieel	official	of**fi**sjel
officier	officer	**of**fisu[r]
ogenblik	moment	**moo**munt
olie	oil	ojl
olijf(olie)	olive (oil)	**o**liv (oil)
omdat	because	bie**koz**
omgeving	environment, surroundings *mv*	en**vai**runmunt, sur**round**ingz
omlegging/omweg	detour	**die**toe[r]
omrijden	to make a detour	toe meek u **die**toe[r]
onbeleefd	impolite, rude	impo**lait**, roed
onberijdbaar	impassable	im**paas**sebul
onbewaakt	unguarded, unattended	ung**ha[r]**did, unet**ten**did
onder	under	**un**du[r]
onderbreken	to interrupt	toe inter**rupt**
onderbroek (man)	underpants *mv*	**un**du[r]pents
onderbroek (vrouw)	knickers *mv*, panties *mv*	**nik**ku[r]z, **pen**tiez
onderdeel (gedeelte)	part	pa[r]t
onderdelen (mechanisme)	parts	pa[r]ts
ondergronds	underground	**un**du[r]ghround
ondergrondse	underground, tube	**un**du[r]ghround, tjoeb
onder in	at the bottom of	et δe **bot**tum ov
onderkant	bottom, underside	**bot**tum, **un**de[r]said
onderschrift	subtitle, caption	**sub**taitul, **kep**sjun
ondertekenen	to sign	toe sain

204

onderzoek	research	**rie**surtsj
ondiep	shallow	**sjel**low
oneerlijk	dishonest, unfair	dis**o**nest, un**fè[r]**
oneven	odd	od
ongedierte	vermin	**vu[r]**min
ongehuwd	single, unmarried	**sin**ghel, un**mer**ried
ongelijk hebben	to be wrong	toe bie rong
ongeluk	accident	**ek**sident
ongelukkig	unhappy	un**hep**pi
ongerust	worried, anxious	**wur**ried, **enk**sjus
ongesteld zijn	to have one's period	toe hev wenz **pier**jud
ongeveer	approximately	ep**pro**ksimetli
ongunstig	unfavourable	un**fee**vorebul
onkosten	expenses	eks**pen**siz
onmiddellijk	at once, immediately	et wens, im**mie**djetli
onmogelijk	impossible	im**pos**sibul
onschuldig	innocent	**in**nosent
ontbijt	breakfast	**brek**fest
ontbreken	to be absent/lacking/ missing	toe bie **eb**sent/**lek**king/ **mis**sing
ontdekken	to discover	toe dis**ku**ve[r]
ontmoeten	to meet	toe miet
ontmoeting	meeting, encounter	**mie**ting, en**koun**tu[r]
ontsmetten	to disinfect	toe disin**fekt**
ontsmettingsmiddel	disinfectant	disin**fek**tent
ontsteking (elektrisch)	ignition	igh**ni**sjun
ontsteking (infectie)	inflammation	inflem**mee**sjun
ontvangen	to receive	toe rie**siev**
ontwikkelen (vormen)	to develop, to generate	toe die**ve**lop, toe **dzje**nereet
ontwikkelen (film)	to develop, to process	toe die**ve**lop, toe **pro**ses
onvoldoende	insufficient, unsatisfactory	insuf**fi**sjunt, unsetis**fek**tori
onweer	thunderstorm	θun**du[r]**sto[r]m
oog	eye	aai
oogarts	ophthalmologist	oftel**mo**lodzjist
oogst	harvest	**ha[r]**vest
ook	too, also	toe, **ol**so
oor	ear	ie[r]
oorsprong	origin	**o**ridzjin
oorspronkelijk	original	o**ri**dzjinel
oosten	east	iest
opbellen	to call, to ring, to phone	toe kol, toe ring, toe foon
opdienen	to serve	toe surv

open	open	**o**pun
openen	to open	toe **o**pun
opeten	to eat	toe iet
opgebroken (rijweg)	road works	rood wu[r]ks
opgeven (ophouden)	to give up, to abandon	toe ghiv up, to u**ben**don
oplichten (bedriegen)	to cheat	toe tsjiet
oplichting	fraud	frohd
opmaken (van eten)	to finish	toe **fi**nisj
opmaken (rekening)	to make out, to draw up	toe meek out, toe drohw up
oponthoud (tussenstop)	stopover	stop**o**vu[r]
oppas	baby-sitter	**bee**biesittu[r]
oppassen (opletten)	to pay attention	toe pee et**ten**sjun
oppassen (bewaken)	to take care of	toe teek kè[r] ov
oppompen	to inflate	toe in**fleet**
opruimen	to clean, to tidy	toe klien, toe **tai**di
opruiming (uitverkoop)	sale	seel
opschrift	caption, heading	**kep**sjun, **he**ding
opstaan	to get up, to rise	toe ghet up, toe raiz
opstand	uprising, revolt	**up**raizing, rie**volt**
opstopping	traffic jam	**tref**fik djem
optellen	to add	toe ed
optillen	to lift	toe lift
oud	old	oold
ouders	parents	**pe**runts
over (richting)	across, over	u**kros**, o**vu**[r]
over (boven, op)	over, above	o**vu**[r], u**buv**
over (afgelopen)	over, finished	o**vu**[r], **fi**nisjd
overbevolking	overpopulation	ovu[r]popjoe**lee**sjun
overdag	during the day(time)	**djoe**ring δu dee(taim)
overgeven (braken)	to vomit	toe **vo**mit
overgeven (capituleren)	to surrender	toe sur**ren**du[r]
overhandigen	to hand (over), to present	toe hend (**o**vu[r]), toe prie**sent**
overkant, overzijde	other side	u**θu**[r] said
overmorgen	the day after tomorrow	δu dee **aaf**tu[r] toe**mor**roow
overstappen	to change, to transfer	toe tsjeendzj, toe trens**fu**[r]
oversteken (weg)	to cross (over)	toe kros (**o**vu[r])
overtocht (zee)	crossing, passage	**kros**sing, **pes**sedzj
overweg	level crossing	**le**vul **kros**sing
P		
paal	post, stake, pole	poost, steek, pool
paar (koppel)	couple	**ku**pul
paar (enkele)	(a) few, (a) couple of	(u) fjoew, (u) **ku**pul ov

206

paard	horse	ho[r]s
paardenkracht	horse power	ho[r]s **pouw**u[r]
paardenstal	stable	**stee**bul
paardrijden	to ride	toe raid
pad (weg)	path	paaθ
paddestoel	toadstool, mushroom	**tood**stool, **mus**jroem
pak (pakket)	packet, package, parcel	**pek**ket, **pek**kedzj, **pa[r]**sul
pak (kostuum)	suit	soet
paleis	palace	**pe**les
pan	pan, pot	pen, pot
panne	breakdown, engine trouble	**breek**douwn, **en**dzjin **tru**bul
pannenkoek	pancake	**pen**keek
panty	tights	taits
papier	paper	**pee**pu[r]
papieren (documenten)	papers, documents	**pee**pu[r]z, **dok**joemunts
papiergeld	(bank) notes	(benk) noots
paraplu	umbrella	um**brel**la
parasol	parasol, sunshade	**pè**resol, **sun**sjeed
pardon! (mag ik storen?)	excuse me!	eks**kjoez** mie
pardon! (het spijt me)	I'm so sorry!	aim so **sorri**,
	I beg your pardon!	ai begh jo[r] **pa[r]**dun
parel	pearl	pu[r]l
parfum	perfume	**pu[r]**fjoem
park	park	pa[r]k
parkeergarage	car park	ka[r] pa[r]k
parkeerlicht	parking light, dimmer	**pa[r]**king lait, **dim**mu[r]
parkeermeter	parking meter	**pa[r]**king **mie**tu[r]
parkeerplaats	car park	ka[r] pa[r]k
parkeerschijf	parking disc	**pa[r]**king disk
parkeren	to park	toe pa[r]k
pasfoto	passport photo	**paas**po[r]t **fo**to
paskamer	fitting room	**fit**ting roem
paspoort	passport	**paas**po[r]t
passen (proberen van kleding)	to try on	toe traai on
passen (juiste maat)	to fit	toe fit
pauze (onderbreking)	break, interval	breek, **in**te[r]vol
pauze (theater)	intermission	inte[r]**mis**sjun
pauze (sport)	half-time	**haaf**taim
pech (ongerief)	bad/hard luck	bed/ha[r]d luk
pech (materiaal-)	breakdown, trouble	**breek**douwn, **tru**bul
pen (vul-)	fountain pen	**foun**ten pen
pen (bal-)	ball(point) pen	bol(pojnt) pen

pen (vilt-)	felt tip pen	felt tip pen
pension (huis/verzorging)	guesthouse	**ghest**hous
peper	pepper	**pep**pu[r]
per	by, per, a	baai, pu[r], u
perron	platform	**plet**fo[r]m
persoon	person	**pur**sun
persoonlijk	personal	**pur**sunel
persoonsbewijs	identity card	ai**den**titi ka[r]d
pier (havenhoofd)	pier, jetty	pie[r], **djet**ti
pijl	arrow	**er**roow
pijn	pain, ache	peen, eek
pijnloos	painless	**peen**les
pijnstiller	painkiller, palliative	**peen**killu[r], **pel**liativ
pijp (rookgerei)	pipe	paip
pijptabak	pipe tobacco	paip to**bek**ko
pil	pill, tablet	pil, **te**blet
pilaar	pillar, column	**pil**la[r], **ko**lum
plaat (afbeelding)	print, picture	print, **pik**tju[r]
plaat (materiaal)	slab, sheet	sleb, sjiet
plaat (muziek)	record	**re**ko[r]d
plaats (plek)	place, point, location	plees, pojnt, lo**kee**sjun
plaats (stoel)	seat	siet
plaats bespreken	to book, to reserve	toe boek, toe rie**zurv**
plaatskaartje	ticket	**tik**ket
plaatsnemen	to take a seat	toe teek u siet
plak(je)	slice	slais
plakband	adhesive/Scotch tape	ed**hie**siv/skotsj teep
plakken	to stick	toe stik
plan	plan	plen
plan zijn, van	to intend to	toe in**tend** toe
plank	board	boo[r]d
plank (in kast)	shelf [mv shelves]	sjelf, sjelvz
plant	plant	plent
plantaardig	vegetable	**ve**dzjetebul
plastic	plastic	**ples**tik
plat	flat	flet
plattegrond	map	mep
platteland	countryside	**kun**trisaid
plein	square	skwè[r]
pleister	(sticking) plaster	(**stik**king) **plaas**tu[r]
plezier	fun, joy, pleasure	fun, djoi, **plè**zju[r]
poeder	powder	**pouw**du[r]

poes	(pussy)cat	(**poes**sie)ket
poetsen	to polish, to brush, [schoenen] to shine	toe **po**lisj, toe brusj, toe sjain
polis	policy	**po**lisi
politie	police (force)	po**lies** (fo[r]s)
politieagent	policeman *m*, policewoman *v*, constable (PC *m*, WPC *v*)	po**lies**men, po**lies**woemen, pie-sie, **du**beljoe-pie-sie
politiebureau	police station	po**lies stee**sjun
pols	wrist	rist
pomp	pump	pump
pont	ferry	**fer**ri
poort	gate(way)	gheet(wee)
pop	doll	dol
portefeuille	wallet	**wol**let
portemonnee	purse	pu[r]s
portie (eten)	portion	**po[r]**sjun
portie (deel)	portion, share	**po[r]**sjun, sjè[r]
portier (van auto)	door	doo[r]
portier (persoon)	doorman, doorkeeper	**doo[r]**men, **doo[r]**kiepu[r]
porto	postage	**poos**tedzj
post	post	poost
postbode	postman *m*, postwoman *v*	**poost**men, **poost**woemen
postbus	post office box, PO box	poost **offis** boks, plè-oo-boks
postkantoor	post office	poost **offis**
postpakket	parcel	**pa[r]**sul
postzegel	stamp	stemp
pot	jar, pot	dja[r], pot
potlood	pencil	**pen**sil
prachtig	splendid, magnificent	**splen**did, meg**hni**fisunt
precies	precise, exact	prie**sais**, ek**zekt**
prijs (kosten)	price	praais
prijs (tarief)	rate, charge	reet, tsjardzj
prijs (beloning)	prize, award	praiz, u**wo[r]d**
prijskaartje	price tag	prais tegh
prijslijst	price list	prais list
proberen	to try	toe trai
procent	percent	pur**sent**
proces-verbaal	report, record	rie**po[r]t**, **re**kurd
proef (test)	test	test
proeven	to try, to taste	toe trai, toe teest
proost!	cheers!	tsjee[r]z

protest	protest, objection	**pro**test, ob**djek**sjun
protestant (hervormd)	Protestant	**pro**testent
pudding (meestal van deeg)	jelly, pudding	**djel**li, **poed**ding
puist	pimple, spot	**pim**pul, spot
pyjama	pyjamas *mv*	pi**dja**maaz

R

raam	window	**win**doow
rand	edge, rim	edzj, rim
rat	rat	ret
rauw	raw, uncooked	rohw, un**koekd**
rauwkost	raw vegetables	rohw **ve**djzetebulz
recept (koken)	recipe	**re**sipie
recept (dokter)	prescription	prie**skrip**sjun
recht (lijn)	straight	street
recht (juridisch)	justice	**djus**tis
rechtbank	court (of law)	ko[r]t (ov lohw)
rechtdoor	straight on/ahead	street on/u**hèd**
rechter (rechtbankjursit)	judge	djudzj
rechts	right, on your right hand	rait, on jo[r] rait hend
rechtsaf	to the right	toe ðu rait
rechtuit	straight on/ahead	street on/u**hèd**
redden	to save	toe seev
reddingsboot	lifeboat	**laif**boot
reddingsvest	life jacket	laif **djek**ket
rederij	shipping company	**sjip**ping **kum**peni
reep (chocolade)	(chocolate) bar	(**tsjok**let) ba[r]
regen	rain	reen
regenjas	raincoat	**reen**koot
register	register	**re**dzjistu[r]
reinigen	to clean	toe klien
reis	trip, [zeereis] voyage	trip, **vo**jedzj
reisbureau	travel agency	**tre**vul **ee**djensi
reisgids (persoon, boek)	(travel) guide	(**tre**vul) ghaid
reisleider	tour leader/guide	toe[r] **lie**du[r]/ghaid
rem	break	breek
reparatie	repair	rie**pè[r]**
reserveonderdelen	spare parts	spè[r] pa[r]ts
reservewiel	spare tyre	spèr tair
retourtje	return (ticket)	rie**tu[r]n** (**tik**ket)
rib	rib	rib
richting	direction	dai**rek**sjun
riem	belt	belt

210

riem (veiligheids-)	safety belt	**seef**ti belt
rijbaan	lane	leen
rijbewijs	driving license	**drai**ving **lai**sens
rijden (voertuig besturen)	to drive	toe draiv
rijden (op fiets/dier, als passagier)	to ride	toe raid
rijp	ripe	raip
rijst	rice	rais
ring (sieraad)	ring	ring
rioolbuis	sewer	**soe**we[r]
risico	risk	risk
riskant	risky	**ris**ki
rit (in voertuig)	drive, trip	draiv, trip
rit (op fiets/dier)	ride	raid
ritssluiting	zip(per)	zip(pu[r])
rivier	river	**ri**vu[r]
Rode- Kruispost	Red Cross post	red kros poost
roeiboot	rowing boat	**roo**wing boot
roeien	to row	toe roow
roeiriemen	oars	ohrz
roepen	to call	toe kol
roer	rudder	**rud**du[r]
roest	rust, corrosion	rust, kor**roo**zjun
roesten	to rust	toe rust
rok	skirt	sku[r]t
roken	to smoke	toe smook
roltrap	escalator	**es**keleetu[r]
rond (bijv. nw.)	round	round
rond (voorz.)	around	u**round**
rondrit, rondvaart	(sightseeing) tour	(**sait**siejing) tou[r]
rondweg	ring road	ring rood
rood	red	red
rookcoupé	smoking compartment	**smoo**king kom**pa[r]t**munt
room	cream	kriem
roos (in het haar)	dandruff	**den**druf
roos (bloem)	rose	rooz
roosteren	to grill, to roast	toe ghril, toe roost
rot (overrijp)	rotten	**rot**tun
rots	rock, cliff	rok, klif
rotsachtig	rocky	**rok**ki
rotsblok	boulder	**bool**du[r]
route	route, way	roet, wee

routine	routine	roe**tien**
rug	back	bek
rugzak	rucksack	**ruk**sek
ruilen	to change	toe tsjeendzj
rundvlees	beef	bief
rusten	to rest	toe rest
rustig	peaceful	**pies**foel
ruw	rough	ruf
ruzie	quarrel	**kwor**rul

s

salade	salad	**se**led
salaris	salary	**se**leri
samen	together	toe**ge**θu[r]
sap	juice	djoes
saus	sauce	sohs
schaafwond	graze, scrape	ghreez, skreep
schaap	sheep	sjiep
schaar	scissors	**sis**so[r]z
schade	damage	**de**medzj
schaduw	shadow	**sje**dow
schakelaar	switch	switsj
schakelen	to switch	toe switsj
schaken	to play chess	toe plee tsjes
scheef	crooked, slanting	**kroe**kid, **slen**ting
scheepvaart	shipping	**sjip**ping
scheerapparaat	electric shaver	ie**lek**trik **sjee**vu[r]
scheerlijn	guy (rope)	ghai (roop)
scheermesje	razor blade	**ree**zo[r] bleed
schelp	shell	sjel
schep (gereedschap)	scoop, shovel	skoep, **sjo**vul
schep (hoeveelheid)	spoonful	**spoen**foel
scheren	to shave	toe sjeev
scherp (mes)	sharp	sja[r]p
scherven	fragments, shards	**fregh**ments, sja[r]dz
scheur (in kleding)	tear, rip	tè[r], rip
scheuren (kleding)	to tear, to rip	toe tè[r], toe rip
schilderij	painting	**peen**ting
schip	ship	sjip
schoen	shoe	sjoe
schoenlepel	shoehorn	**sjoe**ho[r]n
schoenmaker	cobbler	**kob**blu[r]
schoenpoetser	shoeshine boy	**sjoe**sjain boj

schoensmeer	shoe polish	sjoe **po**lisj
schoenveter	shoelace, shoestring	**sjoe**lees, **sjoe**string
school	school	skoel
schoon	clean	klien
schoonmaken	to clean	toe klien
schotel	dish	disj
schouder	shoulder	**sjool**du[r]
schouwburg	theatre	θie jetu[r]
schroef	screw	skroew
schroevendraaier	screwdriver	skroew**drai**vu[r]
schroeven	to screw	toe skroew
schuld (financieel)	debt	debt
schuldig (juridisch)	guilty	**ghil**ti
seizoen	season	**sie**zun
serveerster	waitress	**weet**res
serveren	to serve	toe surv
servetje	napkin	**nep**kin
sieraad	jewel, piece of jewellery	**djoe**wul, pies ov **djoe**welri
sigaret	cigarette	**si**gheret
sinaasappel	orange	**o**rendzj
sinaasappelsap	orange juice	**o**rendzj djoes
sla (krop)	lettuce	**let**tus
slaap	sleep	sliep
slaapwagen	sleeping car, sleeper	**slie**ping ka[r], **slie**pu[r]
slaapzak	sleeping bag	**slie**ping begh
slachten	to slaughter	toe **sloh**tu[r]
slager	butcher	**boe**tsju[r]
slagerij	butcher's (shop)	**boe**tsju[r]s (sjop)
slagroom	whipped cream	wipd kriem
slak	snail	sneel
slang (buis)	hose	hooz
slang (reptiel)	snake	sneek
slap	slack, floppy, limp	sle, **flop**pi, limp
slecht	bad	bed
slechthorend	hard of hearing	ha[r]d ov **hie**ring
slechtziend	partially sighted	**pa[r]**sjelli saitid
sleepkabel	towline, towrope	**toow**lain, **toow**roop
sleepwagen	breakdown truck/van	**breek**douwn truk/ven
slepen (voertuig)	to tow	toe toow
sleutel	key	kie
sleutelgat	key hole	kie hool
slijm	phlegm, slime	fleghm, slaim

slingeren (zwaaien)	to sway	toe swee
slipje	panties, knickers	**pen**tiez, **nik**ku[r]z
slippen (auto)	to skid	toe skid
sloot	ditch	ditsj
slot (van een deur)	lock	lok
sluis	lock	lok
sluiten	to close, to lock	toe klooz, toe lok
sluitingstijd	closing time	**kloo**zing taim
smal	narrow	**ner**roow
smalspoor	narrow gauge	**ner**roow ghohdzj
smeermiddel	lubricant	**loe**brikent
smeren (olie e.d.)	to grease, to lubricate	toe gries, toe **loe**brikeet
smeren (brood)	to butter	toe **but**tu[r]
smerig	dirty	**du[r]**ti
snee (brood)	slice	slais
snee (wond)	cut, gash	kut, ghesj
sneeuw	snow	snoow
snel	fast, quick	faast, kwik
snelheid	speed	spied
sneltrein	express/intercity	eks**pres**/inter**si**ti
snoepgoed	confectionary, sweets	kon**fek**suneri, swiets
snoer	string	string
snor	moustache	mu**staasj**
snorkel	snorkel	**sno[r]**kul
soda	washing soda	**wosj**ing **soo**de
sodawater	soda water	**soo**de **wo**tu[r]
soep	soup	soep
sok	sock	sok
soort	kind, type	kaind, taip
souvenir	souvenir	**soe**veni[r]
spannend	exciting, thrilling	eksaiting, **Θril**ling
spanning	suspense, tension	sus**pens**, **ten**sjun
specialist	specialist	**spe**sjelist
speelgoed	toys	tojz
speelkaarten	playing cards	**plee**jing ka[r]dz
speelplaats	playground	**plee**ghround
spek	bacon	**bee**kun
speld	pin	pin
spelen	to play	toe plee
spellen	to spell	toe spel
spelletje	game	gheem
spiegel	mirror	**mir**ror

spier	muscle	**mus**sel
spierpijn	sore muscles, myalgia	soo[r] **mus**selz, ma**jel**djze
spijker	nail, tack	neel, trek
spijsvertering	digestion	dai**dzjes**tjun
spin	spider	**spai**der
spiritus	methylated spirits *mv*, metlɪs *mv*	**me**θileetiɗ **spi**rɪts, me**θ**s
splinter	splinter	**splin**tu[r]
spoed, met	with dispatch, urgent	wiθ dis**petsj**, **u[r]**dzjunt
spoedbehandeling	emergency treatment	ie**mu[r]**dzjensi **triet**munt
spoedgeval	emergency	ie**mu[r]**dzjensi
spoedig	soon	soen
spons	sponge	spondzj
spoorboekje	(railway) timetable	(bwee) **taim**teebel
spoorbomen	barriers, gate	**ber**rijurz, gheet
spoorkaartje	railway ticket	**reel**wee **tik**ket
spoorlijn	railroad	**reel**rood
spoorwegen	rail(way)	**reel**(wee)
spoorwegovergang (gelijkvloers)	level crossing	**le**vul **kros**sing
sport	sport, sports *mv*	spo[r]t, spo[r]ts
sportterrein	sports field	spo[r]ts field
spreekkamer	surgery	**su[r]**dzjeri
spreekuur	surgery (hours)	**su[r]**dzjeri (ourz)
springen	to jump	toe djump
springplank	springboard	**spring**boo[r]d
sproeien	to spray, to water	toe spree, toe **wo**tu[r]
spuwen	to spit	toe spit
staal	steel	stiel
staan	to stand	toe stand
staan op (aandringen)	to insist (on)	toe in**sist** (on)
stad	city, town	**si**ti, touwn
stadhuis	city/town hall	**si**ti/touwn hol
stal	stable	**stee**bul
stallen	to store	toe stoo[r]
standbeeld	statue	**stet**joe
stank	smell	smel
starten	to start	toe sta[r]t
statief	tripod	**trai**pod
statiegeld	deposit	die**po**zit
station	station	**stee**sjun
steeds	continually	kon**tin**joeweli

steeds meer	increasingly	in**krie**zingli
steen	stone	stoon
steenpuist	boil, furuncle	bojl, fu**run**kul
steenslag	(loose) chippings	(loos) **tsjip**pingz
steil	steep	stiep
stekker	plug	plugh
stelpen	to stem, to stanch	toe stem, toe stentsj
stem	voice	vojs
stemmen (kiezen)	to vote	toe voot
stemmen (instrument)	to tune	toe tjoen
stempel	stamp, seal	stemp. siel
stempelen	to stamp, to postmark	toe stemp, toe **poost**ma[r]k
sterk	strong	strong
sterkte (kracht)	power	**pou**wu[r]
stevig	firm	fu[r]m
stijf	stiff	stif
stil	quiet	**kwa**jit
stilte!	quiet/silence please!	**kwa**jit/**sai**luns pliez
stinken	to smell	toe smel
stoel	chair	tsjè[r]
stoep	pavement	**peev**munt
stof (materiaal)	cloth	kloθ
stof (vuil)	dust	dust
stok	stick	stik
stomerij	dry cleaner's	drai **klie**nu[r]s
stop!	stop, halt!	stop, holt
stop (zekering)	fuse	fjoez
stop (afvoer)	plug	plugh
stopcontact	socket	soket
stoplicht	traffic light(s)	**tref**fik lait(s)
stoppen (halthouden)	to stop	toe stop
stoptrein	slow train	sloow treen
storen (onderbreken)	to interrupt	toe inter**rupt**
storen (lastigvallen)	to bother	toe **bo**θu[r]
storm	storm	sto[r]m
stormlamp	storm lantern	sto[r]m **len**tu[r]n
straat	street	striet
strak (kleding)	tight	tait
strak (gespannen)	tight, taut	tait, toht
straks	later, soon	**lee**tu[r], soen
straks!, tot	see you later!	sie joe **lee**tu[r]
strand	beach	bietsj

strandstoel	deck chair	dek tsjè[r]
streek (regio)	area, region	èriu, **rie**dzjun
streekgerecht	regional/local dish	**rie**dzjunel/**lo**kel disj
streekwijn	regional/local wine	**rie**dzjunel/**lo**kel wain
streep	line	lain
strijken (kleding)	to iron	toe **ai**run
strijken (vlag)	to lower	toe **loo**wu[r]
strijkijzer	iron	**ai**run
strijkplank	ironing board	**ai**runing boo[r]d
stromen (vloeien)	to flow	toe floow
stromend water	running water	**run**ning **wo**tu[r]
stroming, stroom (water/elektriciteit)	current	**kur**runt
struik	bush	boesj
student	student	**stjoe**dent
studeren	to go to college, to study	toe gho toe **kol**ludzj, toe **stu**die
studie	studies	**stu**diez
stuk (exemplaar)	piece	pies
stuk (defect)	broken, out of order	**bro**kun, out ov **o[r]**du[r]
stuk (gedeelte)	part, piece	pa[r]t, pies
stuur (auto)	steering wheel	**stie**ring wiel
stuur (tweewieler)	handlebars	**hen**delba[r]z
stuur (schip)	helm	helm
suiker	sugar	**sjoe**ghe[r]
suikerpot	sugar bowl	**sjoe**ghe[r] boowl
suikerziekte	diabetes	**dai**ebietis
supermarkt	supermarket	**soe**pu[r]ma[r]ket

T

taai (vlees)	tough, leathery	tuf, **le**ðeri
taai (sterk)	tough	tuf
taal	language	**len**ghwedzj
taalgids	phrase book	freez boek
taart	pie, pastry, cake	pai, **pees**tri, keek
taartje	tart, cupcake	ta[r]t, **kup**keek
tabak	tobacco	to**bek**koo
tabakswinkel	tobacconist	to**bek**konist
tabletje	tablet	**te**blut
tafel	table	**tee**bul
tafelkleedje	table cloth	**tee**bul kloθ
tak (boom)	branch	braantsj
tam (mak)	tame, domesticated	teem, do**mes**tikeetid
tampon	tampon	**tem**pon

tand	tooth	toeθ
tandarts	dentist	**dent**ist
tandenborstel	tooth brush	toeθ brusj
tandpasta	tooth paste	toeθ peest
tang	tongs *mv*	tongs
tank (vloeistof)	tank	tenk
tanken	to fill up	toe fil up
tankstation	filling/petrol station	**fil**ling/**pe**trol **stee**sjun
tarief	rate	reet
tas(je)	(hand)bag	(hend)begh
taxistandplaats	taxi rank	**tek**si renk
te (meer dan nodig)	too	toe
te (plaatsaanduiding)	at, in	et, in
teen	toe	too
tegel (vloer-/wand-)	tile	tail
tegelijkertijd	simultaneously, at the same time	simul**tee**niusli, et δu seem taim
tegen	against	u**ghenst**
tegenover	opposite	**op**pozit
tegenstander	opponent	op**poo**nunt
tegenwoordig (nu)	today, at present	toe**dee**, et **pre**zunt
tegoedbon	voucher	**vou**tsju[r]
teken	sign	sain
tekenen	to draw	toe drohw
tekenen (handtekening zetten)	to sign	toe sain
telefoon	(tele)phone	(**te**lu)foon
telefoonboek	telephone directory	**te**lufoon dai**rek**tori
telefooncel	telephone booth/box	**te**lufoon boeθ/boks
telefoonnummer	telephone number	**te**lufoon **num**bu[r]
telefoneren	to (tele)phone, to call	toe (**te**lu)foon, toe kol
telegram	telegram, cable, wire	**te**lughrem, **kee**bul, wair
televisie	television	telu**vi**zjun
televisienet	television network	telu**vi**zjun **net**wu[r]k
tempel	temple	**tem**pul
temperatuur	temperature	**tem**peretjoe[r]
tennisbaan	tennis court	**ten**nis koo[r]t
tennissen	to play tennis	toe plee **ten**nis
tent	tent	tent
tentharing	tent peg/pin	tent pegh/pin
tentoonstelling	exhibition	eksi**bi**sjun
terras	terrace, outdoor café	**ter**res, **out**doo[r] ke**fee**
terug (naar achteren)	back(wards)	bek(wo[r]dz)

terugkeer, terugreis	return (trip)	rie**tu[r]n** trip
tevreden (met)	satisfied/pleased with	**se**tisfaid/pliezd wiθ
thermometer	thermometer	θur**mo**metu[r]
thermoskan	thermos (flask)	θur**mos** (flaask)
thuis	home	hoom
thuiskomst	homecoming	**hoom**kuming
tijd	time	taim
tijdelijk	temporary	**tem**poreri
tijdperk	era	**ie**re
tijdschrift	magazine	**me**ghezien
tocht (luchtstroom)	draught	draaft
tocht (reis)	journey, trip	**dju**rni, trip
tocht, het	there's a draught	θers u draaft
toegang	entrance	**en**trens
toegangshek	entrance gate	**en**trens gheet
toegangskaartje	entrance ticket	**en**trens **tik**ket
toeslag	surcharge	**sur**tsja[r]dzj
toestaan	to allow, to permit	toe **el**louw, toe per**mit**
toestemming	permission	per**mis**sjun
toilet	toilet, lavatory, bathroom	**toj**let, **le**vetori, **baa**θroem
toiletpapier	toilet paper	**toj**let **pee**pu[r]
tolk	interpreter	in**tur**pretu[r[
tomaat	tomato	to**maa**too
toneel	stage	steedzj
toneelvoorsteling	theatrical performance	θie**je**trikel pur**fo[r]**mens
tonen (laten zien)	to show	toe sjoow
tong (mond)	tongue	tung
toosten (op)	to drink (to)	toe drink (toe)
top	summit	**sum**mit
toren	tower	**tou**wu[r]
touw	rope	roop
trap (met treden)	(flight of) stairs	(flait ov) stè[r]z
trap (schop)	kick	kik
trein	train	treen
treinkaartje	railway ticket	**reel**wee **tik**ket
trekken (aan iets)	to pull	toe poel
trekken (rondreizen)	to go hiking/trekking	toe gho **hai**king/**trek**king
trekkershut	hiking hut	**hai**king hut
trommel (instrument)	drum	drum
trommel (bergplaats)	tin	tin
trui	sweater	**swe**tu[r]
tuin	garden	**gha[r]**dun

tunnel	tunnel	**tun**nel
tussen	between	bie**twien**
tweedehands	second hand	**se**kund hend
tweeling	twins *mv*	twinz
tweepersoonsbed	double bed	**dub**bel bed
tweepersoonskamer	double room	**dub**bel roem

U

ui	onion	**u**njun
uit	out	out
uitgaan (ontspanning)	to go out	toe ghoo out
uitgang	exit	**ek**sit
uitkijken	to watch/look out	toe wotsj/loek out
uitlenen	to lend	toe lend
uitrusten (rust nemen)	to rest	toe rest
uitrusten (voorzien van)	to equip	toe ie**kwip**
uitrusting	equipment	ie**kwip**munt
uitspraak (taal)	pronunciation	pronunsi**jees**jun
uitspraak (vonnis)	verdict	**vu[r]**dikt
uitspreken	to pronounce	toe proo**nouns**
uitstapje	trip, excursion	trip, eks**ku[r]**sjun
uitstekend (prima)	fine, excellent	fain, **ek**sellent
uitstekend (naar buiten)	protruding	pro**troe**ding
uitstel	delay	die**lee**
uitverkoop	sale, sales *mv*	seel, seelz
uitwendig	external	ekst**u[r]**nel
uitwijken	to swerve, to turn aside	toe swurv, toe turn u**said**
uitzicht op	view of	vjoew ov
uitzien op	to face, to look out on	toe fees, loek out on
uur	hour	ou[r]
uurwerk	clock	klok

V

vaak	often	**of**fun
vaartuig	vessel, boat	**ves**sul, boot
vaarwel!	goodbye!	ghoed**bai**
vaas	vase	vaaz
vader	father	**faa**ð u[r]
vakantie	holidays *mv*	**ho**liedeez
val (jacht)	trap	trep
val (omlaag)	fall	fol
valhelm	(crash) helmet	(kresj) **hel**met
vallen	to fall	toe fol
van (eigendom)	of	ov

van (herkomst)	from, of	from, ov
vanaf (plaats)	from	from
vanaf (tijd)	from, since	from, sins
vandaag	today	toe**dee**
varen	to sail	toe seel
varken	pig	pigh
varkensvlees	pork	po[r]k
vast	fixed, firm	fiksd, fu[r]m
vasten	to fast	toe faast
vastentijd (paastijd)	Lent	lent
vasthouden (in de hand)	to hold	toe hoold
vasthouden (in hechtenis)	to detain	toe die**teen**
vastmaken	to fix, to fasten	toe fiks, toe **faa**sun
vee	cattle	**ket**tel
veehouder	cattle breeder	**ket**tel **brie**du[r]
veel (algemeen)	much, a lot (of)	mutsj, u lot ov
veel (bij ev znw.)	much	mutsj
veel (bij *mv* znw.)	many	**me**nie
veel, te	too much, too many	toe mutsj, toe **me**nie
veemarkt	cattle market	**ket**tel **ma[r]**ket
veer (van vogel)	feather	**fe**θu[r]
veer (van metaal)	spring	spring
veerboot	ferry	**fer**rie
vegen	to sweep	toe swiep
vegetarisch	vegetarian	vedzje**te**riun
veilig	safe	seef
veiligheid	safety	**seef**ti
veiligheidsgordel	safety belt	**seef**ti belt
veiligheidsspeld	safety pin	**seef**ti pin
veld	field, grounds	field, ghroundz
veldfles	flask	flaask
ver	far, distant	fa[r], **dis**tent
ver (bijw.)	far, a long way (to go)	fa[r], u long wee (toe ghoo)
veranderen	to change	toe tsjeendzj
verantwoordelijk	responsible	res**pon**sibul
verbaasd	surprised	su[r]**praizd**
verband (relatie)	relation, connection	rie**lee**sjun, kon**nek**sjun
verband met, in	concerning,	kon**su[r]**ning,
	in connection with	in kon**nek**sjun wiθ
verband(gaas)	bandage, dressing	**ben**dedzj, **dres**sing
verbandkist	first aid kit	fu[r]st eed kit
verbazing	surprise, amazement	su[r]**praiz**, u**meez**munt

verbinden (van twee dingen)	to connect	toe kon**nekt**
verbinden (wond)	to bandage, to dress	toe **ben**dedzj, toe dres
verblijfplaats	residence	**re**zidens
verblijfsvergunning	residence permit	**re**zidens **pu[r]**mit
verblinden	to dazzle	toe **dez**zel
verbod	ban, prohibition	ben. prohi**bi**sjun
verboden te ...	... prohibited, no ...	... prohibitid, no ...
verbranden	to burn	toe bu[r]n
verder	further	**fu[r]**θu[r]
verdergaan	to proceed	toe pro**sied**
verdwalen	to get lost, to lose one's way	toe ghet lost, toe loez wens wee
Verenigd Koninkrijk	United Kingdom (UK)	joe**nai**tid **king**dum (joe-kee)
verf	paint	peent
verfkwast	paintbrush	**peent**brusj
vergeten	to forget	toe fo[r]**ghet**
vergezellen	to accompany	toe ek**kum**peni
vergezeld van	accompanied by	ek**kum**penied bai
vergiftiging	poisoning	**poj**zuning
vergissen, zich	to be wrong/mistaken	toe bie rong/mis**tee**kun
vergissing	mistake, error	mis**teek**, **err**o[r]
vergoeding	refund, reimbursement	**rie**fund, rie-im**burs**munt
vergroting	enlargement	en**la[r]dzj**munt
verguld (materiaal)	gold plated	ghoold **pleet**id
vergunning	permit	**pu[r]**mit
verhuizen	to move	toe moev
verhuren	to let, to rent	toe let, toe rent
verhuurbedrijf	leasing company	**lie**sing **kum**peni
verhuurd	let, rented	let, **rent**id
verjaardag	birthday	**bu[r]**θdee
verkeer	traffic	**tref**fik
verkeerd	wrong	rong
verkeersbord	road/traffic sign	rood/**tref**fik sain
verkering hebben	to go steady	toe gho **ste**di
verkopen	to sell	toe sel
verkoper	salesman	**seelz**men
verkouden zijn	to have a cold	toe hev u koold
verkoudheid	(common) cold	(**kom**mun) koold
verlaten (werkw.)	to leave	toe liev
verlaten (afgelegen)	desolate	**de**soleet
verleden	past	paast
verleden week	last week	laast wiek
verlichten (beschijnen)	to light, to illuminate	toe lait, toe il**loe**mineet

verlichten		
(minder zwaar maken)	to relieve	toe rie**liev**
verlichting (lampen)	light(ing)	**lait**(ing)
verlichting (taak, angst)	mitigation, relief	miti**ghee**sjun, rie**lief**
verlies	loss	los
verliezen	to lose	toe loez
verloofde	fiancé m, fiancée v	fie**jaan**see, fie**jaan**see
verloving	engagement	en**gheedzj**munt
verlopen (ongeldig)	to expire	toe eks**pair**
verloren	lost	lost
verminderen	to decrease, to reduce	toe de**kriez**, toe rie**djoes**
verpleger	male nurse m, nurse v	meel nu[r]s, nu[r]s
verplicht	compulsory, obligatory	kom**pul**seri, o**bli**ghetri
verrassing	surprise	su[r]**praiz**
vers (bijv. nw.)	fresh	fresj
vers (zelfst. nw.)	poem	**po**ëm
verschil	difference	**diff**erens
verschillend	different	**diff**erent
versiering	decoration	deko**rees**jun
versleten	worn out	wo[r]n out
versnelling (hoger tempo)	acceleration	eksele**rees**jun
versnelling (mechanisme)	gear	ghie[r]
versperring	barrier, roadblock	**ber**riu[r], **rood**blok
verstaan (horen)	to hear	toe hie[r]
verstaan (begrijpen)	to understand	toe under**stend**
verstellen (aanpassen)	to adjust, to adapt	toe ed**djust**, toe u**dept**
verstopping	block(age)	blok(edzj)
verstopt (verborgen)	hidden	**hid**dun
verstopt (dichtgeraakt)	blocked, clogged	blokd, **klogh**ghid
vertalen	to translate	toe trens**leet**
vertaling	translation	trens**lees**jun
verte, in de	in the distance, far off	in ðu **dis**tens, fa[r] of
vertraging	delay	die**lee**
vertrek (kamer)	room	roem
vertrek (op weg gaan)	departure	die**pa[r]**tju[r]
vertrekken	to depart, to leave	toe die**pa[r]t**, toe liev
vervangen	to replace	toe rie**plees**
verwachten	to expect	toe eks**pekt**
verwachting	expectation	ekspek**tees**jun
verwachting, in	pregnant	**pregh**nent
verwarming	heating	**hie**ting
verwisseld	changed, swopped	tsjeendzjd, swopd

verwonding	injury	**in**djuri
verzekeren (polis)	to insure	toe in**sjoe[r]**
verzekeren (garanderen)	to assure	toe es**sjoe[r]**
verzekering (assurantie)	insurance	in**sjoe**[r]ens
verzekeringsmaatschappij	insurance company	in**sjoe**[r]ens **kum**peni
verzekeringspolis	insurance policy	in**sjoe**[r]ens **po**lisi
verzenden	to send	toe send
verzoek	request	rie**kwest**
verzoeken (vragen)	to request	toe rie**kwest**
vest	cardigan	**ka[r]**dighen
vestigen	to establish	toe es**te**blisj
vesting	fortress	**fo[r]**tres
vet (bijv. nw.)	greasy, rich	**ghrie**si, ritsj
vet (zelfst. nw.)	fat, grease	fet, ghries
viaduct	flyover, overpass	flai-**o**vu[r], **o**vu[r]paas
vierkant (bijv./zelfst. nw.)	square	skwè[r]
vies	dirty	**du[r]**ti
vijl	file	fail
vinden	to find	toe faind
vinden (mening)	to think	toe θink
vis	fish	fisj
visitekaartje	visiting/business card	**vi**ziting/**bis**nes ka[r]d
visser	fisherman	**fi**sju[r]men
Vlaams	Flemish	**fle**misj
Vlaanderen	Flanders	**flaan**du[r]z
Vlaming	Fleming	**fle**ming
vlag	flag	flegh
vlak	flat, level	flet, **le**vul
vlak bij	near	nie[r]
vlakte	plain	pleen
vlam	flame	fleem
vlees	meat	miel
vleeswaren	meat products, cold cuts	miet **pro**dukts, koold kuts
vlek	stain, spot	steen, spot
vlekkenmiddel	stain/spot remover	steen/spot rie**moe**vu[r]
vlieg	fly	flai
vliegen	to fly	toe flai
vliegtuig	(aero)plane	(**è**ro)pleen
vliegveld	airport	**èr**po[r]t
vlo	flea	flie
vloed (getijde)	(high) tide	(hai) taid
vloedgolf	tidal wave	**tai**del weev

vloeien	to flow	toe floow
vloeistof	liquid, fluid	**li**kwid, **floeï**d
vloer	floor	floo[r]
vlooienmarkt	flea market	flie **ma[r]**kut
vlucht (luchtvaart)	flight	flait
vlucht (uit angst)	escape	es**keep**
vluchteling	fugitive, refugee	**fjoe**dzjitiv, **re**fjoedzjie
vluchtig (oppervlakkig)	superficial, brief	soeper**fi**sjel, brief
vlug	fast, quick	faast, kwik
vocht	liquid, moisture	**li**kwid, **mojs**tju[r]
vochtig	damp, moist	demp, mojst
vochtwerend	dampproof	**demp**proef
voedsel	food	foed
voelen	to feel	toe fiel
voet	foot	foet
voetbal (bal)	football	**foet**bol
voetbal (sport)	football, soccer	**foet**bol, **sok**ku[r]
voetbalstadion	football stadium	**foet**bol **stee**dium
voetganger	pedestrian	pe**des**trijen
voetpad	footpath	**foet**paaθ
vogel	bird	bu[r]d
vol (gevuld met)	full of, filled/stuffed with	foel ov, fild/stufd wiθ
vol (in hotel/pension)	no vacancies *mv*	no **vee**kensiez
volgen	to follow	toe **fol**loow
volgend (komend)	next	nekst
volk	people	**pie**pul
volkorenbrood	wholemeal bread	**hool**micl brèd
volkskunst	folk art	fook a[r]t
volkslied	national anthem	**ne**sjunel **en**θum
volledig	complete	kom**pliet**
vonk	spark	spa[r]k
voor (bestemming)	to	toe
voor (plaatsbepaling)	in front of	in front ov
voor (tijdstip)	before	bie**fo[r]**
vooraan	in front	in front
vooraanstaand (belangrijk)	prominent	**pro**minunt
voorbehoedsmiddel	contraceptive	kontre**sep**tiv
voorbij (voorz.)	beyond, past	bie**jond**, paast
voorbij (bijv. nw.)	past, over	paast, **o**vu[r]
voorhoofd	forehead	**foo[r]**hed
voorkant	front	front
voornaam (naam)	first/Christian name	fu[r]st/**kris**tjen neem

voornaam (belangrijk)	distinguished	dis**tin**ghwisjd
voorrang	right of way	rait ov wee
voorrang verlenen	to give right of way	toe ghiv rait ov wee
voorrangsweg	main road	meen rood
voorstel	proposition, proposal	propo**si**sjun, pro**poo**zel
voorstellen (uitbeelden)	to represent	toe rieprie**zent**
voorstellen (introduceren)	to introduce	toe intro**djoes**
voorstellen (voorstel doen)	to propose, to suggest	toe pro**pooz**
voorstelling (theater)	performance	pu[r]**fo[r]**mens
voorstelling (uitbeelding)	depiction, picture, image	die**pik**sjun, **pik**tju[r], **i**medzj
voortdurend	continuous, constant	kon**tin**joewus, **kon**stent
voortmaken	to hurry up	toe **hurri** up
voortreffelijk	excellent	**ek**sellent
vooruit	ahead	u**hèd**
vooruit!	let's get moving! come on!	lets ghet **moe**ving, kum on
voorwaarde	condition	kon**di**sjun
voorwaardelijk	conditional	kon**di**sjunel
voorzichtig!	be careful!	bie **kèr**foel
vorige week	last week	laast wiek
vork	fork	fo[r]k
vorm	shape	sjeep
vorst (titel)	monarch, king *m*, queen v	**mo**na[r]k, king, kwien
vorst (het vriezen)	frost	frost
vraag	question	**kwes**tjun
vragen (om een antwoord)	to ask	toe aask
vragen (verzoeken)	to request	toe rie**kwest**
vreemd (buitenlands)	foreign	**fo**ren
vreemd (verbazingwekkend)	strange	streendzj
vreemdeling	stranger, foreigner, alien	**streen**dzju[r], **fo**renu[r], **ee**ljen
vreemdelingendienst	aliens registration office	**ee**ljenz redzji**stree**sjun **of**fis
vriend	friend	frend
vriendelijk	kind, friendly	kaind, **frend**li
vrij	free	frie
vrijen	to make love	toe meek luv
vrijgezel	bachelor	**be**tsjelo[r]
vrijheid	freedom	**frie**dum
vroeg	early	u[r]li
vroeger (destijds)	in the past	in ðu paast
vrouw	woman	**woe**men
vrouw (echtgenote)	wife	waif
vrucht (fruit)	fruit	froet
vruchtensap	fruit juice	froet djoes

vuil	dirty	**du[r]**ti
vuilnisbak	dustbin	**dust**bin
vuilnisman	dustman, garbage collector	**dust**men, **gha[r]**bedzj kollekto[r]
vulkaan	volcano	vol**kee**noo
vullen	to fill	toe fil
vuur	fire	fair
vuurwerk	fire works	fair wu[r]ks

W

waar (vragend)	where	wè[r]
waar (bijv. nw.)	true, genuine	troe, **dzje**njoewin
waar, het is	it's true	its troe
waarde	value	bjoe
waardeloos	worthless	wu[r]θles
waarheen (vragend)	where(to)	wè[r](toe)
waarheid	truth	troeθ
waarom	why	wai
waarschuwen	to warn	toe wo[r]n
waarschuwing	warning	**wo[r]**ning
wachten	to wait	toe weet
wachtkamer	waiting room	**wee**ting roem
wagen (durven)	to dare	toe dè[r]
wagen (auto, rijtuig)	car	ka[r]
wagenziek	carsick	**ka[r]**sik
wal (van vesting)	rampart, wall	**rem**pa[r]t, wol
wandelen	to walk	toe wohk
wandeling	walk	wohk
wang	cheek	tsjiek
wanneer (vragend/tijdstip)	when	wen
wanneer (voorwaarde)	if	if
warenhuis	department store	die**pa[r]t**munt stoo[r]
warm	warm	wohm
warmte	warmth, heat	wohmθ, hiet
wasautomaat	washing machine	**wo**sjing me**sjien**
wasbenzine	benzine	ben**zien**
wasgoed	laundry	**lohn**dri
wasknijper	clothes peg	klooθz pegh
waslijn	clothesline	**kloo**θzlain
wasmiddel	detergent	die**tu[r]**dzjunt
wasruimte (wasgoed)	laundry room	**lohn**dri roem
wasruimte (personen)	washing facilities	**wo**sjing fesi**li**tiez
wassen, zich	to have a wash	toe hev u wosj
wassen (wasgoed)	to launder	toe **lohn**du[r]

wastafel	washstand	**wosj**stend
wat (vragend)	what	wot
wat (hetgeen)	that, which, what	ðet, witsj, wot
wat (een beetje)	somewhat, slightly, a little	**sum**wot, **slait**li, u **lit**tel
water	water	**wo**tu[r]
watersport	aquatics	u**kwe**tiks
waterskiën	waterskiing	**wo**tu[r]skiejing
waterval	waterfall, cascade, falls *mv*	**wo**tu[r]fol, kes**keed**, folz
watje	cotton wool	**kot**tun woel
w.c.	toilet, bathroom	**toj**let, **baa**θroem
wedstrijd	game	gheem
week (slap)	soft	soft
week (7 dagen)	week	wiek
weekeinde	weekend	**wiek**end/wiek**end**
weer (nogmaals)	again	u**ghen**/u**gheen**
weer	weather	**we**θu[r]
weerbericht	weather forecast	**we**θu[r] **fo[r]**kaast
weg (verdwenen)	gone	ghon
weg	road	rood
weg!	go away! get lost!	gho e**wee**, ghet lost
wegdek	road surface	rood **surf**es
wegen	to weigh	toe weej
wegenkaart	road map	rood mep
wegenwacht	road patrol, AA/RAC patrol	roodpe**trool**, ee-ee/a[r]-ee-sie pe**trool**
weggaan	to leave	toe liev
wegomlegging	diversion	dai**vu[r]**zjun
wegsplitsing	fork	fo[r]k
wegwijzer	signpost	**sain**poost
weigeren	to refuse	toe rie**fjoez**
weinig (bij ev. znw.)	little	**lit**tel
weinig (bij mv. znw.)	few	fjoew
wekken	to wake	toe week
wekker	alarm clock	u**la[r]m** klok
wèl	but I am, but it is!	but ai **em**, but is **iz**
welk(e) (vragend)	which	witsj
welk(e) (voornaamw.)	who, which	hoe, witsj
welkom!	welcome!	**wel**kum
welkom (zelfst. nw.)	welcome	**wel**kum
welterusten!	good night! sleep well!	ghoed nait, sliep wel
wens	wish	wisj
wensen (verlangen)	to wish, to desire	toe wisj, toe die**zair**

wensen (toewensen)	to wish	toe wisj
wereld	world	wu[r]ld
werk (arbeid)	work, job	wu[r]k, djob
werk (karweitje)	job	djob
werken (arbeiden)	to work	toe wu[r]k
werken (functioneren)	to run, to operate	toe run, toe **o**pereet
werkgever	employer	em**plo**ju[r]
werknemer	employee	emplo**jie**
wesp	wasp	wosp
westen	west	west
weten	to know	toe noow
wie (vragend)	who	hoe
wie (voornaamw.)	who	hoe
wieg	cradle, cot	**kree**dul, cot
wiel	wheel	wiel
wijd	wide, loose	waid, loes
wijk	district	**dis**trikt
wijn	wine	wain
wijnboer	wine grower	wain **ghroo**wu[r]
wijngaard	vineyard	**vin**ja[r]d
wijnkaart	wine list	wain list
wijnkelder	wine cellar	wain **sel**la[r]
wijzen	to point	toe pojnt
wijzigen	to change, to alter	toe tsjeendzj, toe **ol**tu[r]
wijziging	alteration	olte**ree**sjun
wild (bijv. nw.)	wild	waild
wild (gerecht)	game	gheem
willen	to want	toe wont
wind	wind	wind
windkracht	(wind) force	(wind) fo[r]s
windscherm	windbreak, windscreen	**wind**breek, **wind**skrien
windvaan	wind vane	wind veen
winkel	shop	sjop
winkelcentrum	shopping centre	**sjop**ping **sen**tu[r]
winkelwagentje	trolley	**trol**lie
winter	winter	**win**tu[r]
wisselen	to change	toe tsjeendzj
wisselkantoor	exchange office	eks**tsjeendzj of**fis
wol	wool	woel
wond	wound, injury	woend, **in**dzjuri
wonen	to live	toe liv
woord	word	wu[r]d

worst	sausage	**soh**sedzj
wortel (boom, plant)	root	roet
wortel (groente)	carrot	**ker**rot
wrijven	to rub	toe rub

Y

ij... zie onder i...		
yoghurt	yoghurt	**jo**ghu[r]t

Z

zaad	seed	sied
zaal	hall	hol
zacht (bij aanraking)	soft, smooth	soft, smoeθ
zacht (geluid)	quiet, soft	**kwai**jit, soft
zadel (paard/fiets)	saddle	**sed**del
zak (verpakking)	bag	begh
zak (in kleding)	pocket	**pok**ket
zakdoek	handkerchief	**hend**kurtsjief
zaklantaarn	torch	to[r]tsj
zakmes	pocketknife	**pok**ketnaif
zalf	ointment	**ojnt**munt
zand	sand	send
zebra(pad)	pedestrian crossing	pe**des**triën **kros**sing
zee	sea	sie
zeef	sieve	siev
zeem	chamois/shammy (leather)	sje**mwah**/**sjem**mi (**lè**θu[r])
zeep	soap	soop
zeer (erg)	very	**ve**ri
zeer doen	to hurt	toe hu[r]t
zeevis	marine/sea fish	me**rien**/sie fisj
zeewater	seawater	**sie**wotu[r]
zeeziek	seasick	**sie**sik
zeggen	to say	toe see
zeil (tent-)	cloth, canvas	kloθ, **ken**ves
zeil (schip)	sail	seel
zeildoek	canvas, sailcloth	**ken**ves, **seel**kloθ
zeiljack	windbreaker, windcheater	wind**bree**ku[r], wind**tsjie**tu[r]
zeiljacht	yacht	joht
zeilsport	sailing, yachting	**see**ling, **joh**ting
zeker (bijw.)	securely, certainly	se**kjoe[r]**li, **su[r]**tenli
zeker (bijv. nw.)	sure, safe, secure	sjoe[r], seef, se**kjoe[r]**
zekerheid	safety, certainty	seefti, **su[r]**tenti
zekering	fuse	fjoez
zelden	seldom	**sel**dum

230

zeldzaam	rare	rè[r]
zelf	oneself, [bijv.] myself, yourself, ourselvesz	wen**self**, mai**self**, jo[r]**self**, our**selvz**
zelfde	similar, same	si**mile**[r], seem
zelfs	even	**ie**vun
zenden	to send	toe send
zicht (meteorologisch)	visibility	vizi**bili**ti
zicht op	view on	vjoew on
zichtbaar	visible	**vi**zibel
ziek	ill	il
ziekenauto	ambulance	**em**bjoelens
ziekenfonds	National Health Service (NHS)	**ne**sjonel helθ su[r]vis (en-eetsj-es)
ziekenhuis	hospital	**hos**pitel
ziekte	illness	**il**nes
ziektekostenverzekering	medical insurance	**me**dikel in**sjoe**rens
zien	to see	toe sie
zijde (kant)	side	said
zijde (stof)	silk	silk
zijdelings	sideways	**said**weez
zijstraat	side street	said striet
zilver	silver	**sil**vu[r]
zin in (plezier)	to feel like, to fancy	toe fiel laik, toe **fen**si
zin (taalkundig)	sentence	**sen**tens
zin (nut)	sense, point	sens, pojnt
zindelijk (kleuter)	toilet trained	**toj**let treend
zindelijk (huisdier)	house trained	hous treend
zinloos	meaningless, pointless	**mie**ningles, **pojnt**les
zinvol	significant	sigh**ni**fikent
zitplaats	seat	siet
zitten (zich bevinden)	to sit, to be	toe sit, toe bie **sie**tid
zitten (op een stoel)	to sit, to be sitting	toe sit, toe bie **sit**ting
zo (aanwijzend)	like this, so	laik δis, so
zo (in die mate)	as, so	es, so
zoeken naar	to search/look for	toe seurtsj/loek fo[r]
zoekraken	to get lost, to be mislaid	toe ghet lost, toe bie mis**lèd**
zoen	kiss	kis
zoet (smaak)	sweet	swiet
zoet (braaf)	sweet, good	swiet, ghoed
zoetjes (zoetstof)	sweetener	**swie**tenu[r]
zoetwaren	sweets	swiets
zoetwater	freshwater	**fresj**wotu[r]

zoetzuur	sweet and sour, pickled	swiet end sour, **pik**keld
zolder	attic	**et**tik
zomer	summer	**sum**mu[r]
zomertijd	summer time	**sum**mu[r] taim
zomervakantie	summer holidays *mv*	**sum**mu[r] **ho**lideez
zon	sun	sun
zonnebaden	to sunbathe	toe **sun**beeθ
zonnebrand	sunburn	**sun**bu[r]n
zonnebrandcrème	suntan lotion/cream	**sun**ten **loo**sjun/kriem
zonnebrandolie	suntan oil	**sun**ten ojl
zonnebril	sunglasses *mv*	**sun**ghlaasiz
zonnescherm	blind, shade, parasol	blaind, sjeed, **pe**resol
zonnesteek	sunstroke	**sun**strook
zool	sole	sool
zoon	son	sun
zorgen voor (verzorgen)	to look after, to care for	toe loek **aaf**tu[r], toe kè[r] fo[r]
zorgen voor (op zich nemen)	to take care of, to attend to	toe teek kè[r] of, toe et**tend** toe
zout	salt	solt
zoutarm	low salt	loow solt
zoutloos	salt frie	solt frie
zoutpan	saltpan	**solt**pen
zuiden	south	souθ
zuinig	economical, frugal	ieko**no**mikel, **froe**ghal
zuiver	pure	pjoe[r]
zuiveringszout	bicarbonate (of soda)	bai**ka[r]**boneet (ov **soo**da)
zuster (familie)	sister	**sis**tu[r]
zuster (verpleegster)	nurse	nurs
zuur	sour, acid	sour, **e**sid
zwaar (gewicht)	heavy	**he**vi
zwaar (ernstig)	serious	**sie**rius
zwager	brother-in-law	**bru**θu[r[-in-lohw
zwak (lichamelijk)	weak, feeble	wiek, **fie**bul
zwak (kwaliteitsarm)	weak, poor	wiek, poe[r]
zwanger	pregnant	**pregh**nent
zwangerschap	pregnancy	**pregh**nensi
zwart	black	blek
zweer	ulcer, boil	**ul**su[r], bojl
zweet	sweat	swet
zwembad	swimming pool	**swim**ming poel
zwembroek	bathing/swimming trunks *mv*	**bee**θing/**swim**ming trunks
zwemmen	to swim	toe swim
zwemvest	life jacket	laif **djek**kut

A

abandon - opgeven
able, to be - in staat zijn
aboard - aan boord (van)
about - over, omstreeks
above - boven
abroad - (in/naar) het buitenland
absent - afwezig, ontbrekend
accelerate - versnellen
accept - aannemen
accident - ongeluk, ongeval
accompany - vergezellen
account - rekening
accurate - nauwkeurig
ache - pijn doen
acid - zuur
acquaintance - kennis, bekende, kennis-
  making
across - over
adapt - aanpassen
add - toevoegen, optellen
adhesive (tape) - plakband
adjust - verstellen, aanpassen
aerial - antenne
afraid - bang, angstig
afternoon - (na)middag
afterwards - daarna, later
again - weer, nogmaals
against - tegen
agency - agentschap, bureau
agent - vertegenwoordiger, agent
agree - afspreken, accoord gaan
agreeable - aangenaam
agreement - afspraak, overeenkomst,
  contract
ahead - vooruit, verderop
aid, (first) - (eerste) hulp

ailment - kwaal, ziekte
aim - mikken, doelen op; doel(stelling)
air (mattress) - lucht(matras)
aircraft - vliegtuig
airmail, by - per luchtpost
airport - vliegveld
airsick - luchtziek
alarm clock - wekker
alien - vreemdeling
all - alles, allen, allemaal
all of a sudden - plotseling
allow - toestaan
all right - in orde
almost - bijna
alone - alleen
also - ook, eveneens
alter - wijzigen
always - altijd
amazed - verbaasd
among - onder, tussen, te midden van
amount - bedragen; bedrag, hoeveelheid
animal - dier, beest
annexe - dependance, aanhangsel
announcement - mededeling, aankondi-
  ging
annual(ly) - jaarlijks
ant - mier
anxious - benieuwd, ongerust
any - enig(e)
anybody/anyone - iemand
anything - iets
answer - antwoorden, opnemen (telefoon); antwoord
antique dealer - antiquair
antiques - antiek
apartment (building) - flat(gebouw)
apologize - zich verontschuldigen

apology - verontschuldiging
appeal - beroep doen op; beroep
apple (juice) - appel(sap)
application (form) - aanvraag(formulier)
apply - aanvragen, solliciteren
appointment - afspraak
approximately - ongeveer
area - gebied, streek
around - rond(om), ongeveer, in de buurt
van
arrange - afspreken
arrival (time) - aankomst(tijd)
arrive - aankomen
arrow - pijl
artificial (respiration) - kunstmatig(e
ademhaling)
art(ist) - kunst(enaar)
as - (zo)als
ash (tray) - as(bak)
ask (for) - vragen (om/naar)
attention! - attentie! geef acht!
attention, draw/pay - aandacht
trekken/schenken
attic - zolder
attract - aantrekken
audience - gehoor, toehoorders
authorization - machtiging, toestemming
autumn - herfst
aviation - luchtvaart
award - belonen, toekennen; prijs,
beloning
awful - afschuwelijk, erg
awkward - lastig, naar
axle - (wiel)as

B

bachelor - vrijgezel
back - rug, terug, achterzijde
back, in the - achterin
backwards - achteruit, terug
bacon - (ontbijt)spek
bad - slecht, bedorven
bad luck - pech

bag - zak, tas
bake - bakken
bakery - bakkerij
balcony - balkon
ball - bal, kogel
balloon - ballon
ban - verbieden, uitbannen; verbod,
uitbanning
bandage - verbinden; verband(gaas)
bank - bank, oever
banknote - bankbiljet
bar - afsluiten; bar, slagboom, tralie, reep
barrier - spoorboom, afrastering, hindernis
barrow - handkar
basket - mand
bath (tub) - bad(kuip)
bath, take a - baden
bath foam - badschuim
bath room - badkamer, toilet
bath towel - badhanddoek
battery - batterij, accu
bay - baai
beach - strand
beans, haricot - witte bonen
beans, kidney - bruine bonen
bear - dragen; beer
beard - baard
beautiful - mooi
because - omdat
because of - door(dat)
bee - bij
beef - rundvlees
beer - (flessen)bier
before - voor(dat)
begin - beginnen
beginning - begin
behind - achter(op)
belly - buik
below - beneden, onder
belt - gordel, riem
bench - (zit)bank
bend - buigen; bocht

berth - couchette, slaapplaats
best before ... - houdbaar tot ...
between - tussen
beyond - voorbij, achter
bicycle (track) - fiets(pad)
big - groot
bile - gal
bird - vogel
birthday - verjaardag
bit - beetje
bite - hijten; hap, beet
black - zwart
blackboard - (school)bord
blame - kwalijk nemen, de schuld geven;
  schuld
bland - flauw, slap
blanket - deken
blinker - knipperlicht
blister - blaar
blockage - verstopping
blocked - (af)gesloten, geblokkeerd
blood - bloed
blue - blauw
blunt - bot
blush - blozen; blos
board - aan boord gaan; plank, bestuur,
  boord
body - lichaam, carrosserie
boil - koken; puist
bond - band, verbondenheid, obligatie
bone - bot
bonnet - muts, hoedje, motorkap
book - boeken, reserveren; boek
bookshop - boekhandel
boot - laars, (grote) schoen, bagage-
  ruimte
border - begrenzen; grens, rand
born - geboren
borrow (from) - lenen (van)
both - beide(n), allebei
both ... and - zowel ... als
bother - lastigvallen, storen

bottle - bottelen; fles
bottom - bodem, grond, onderkant
boulder - rotsblok
bowl - vaas, schaal, pot
box - doos, kist
boy - jongen
bracelet - armband
brake - rem
branch - tak, onderafdeling, filiaal
brass - geel koper
brass band - fanfare
bread - brood
breadth - breedte
break - breken; pauze, onderbreking
breakdown - pech, inzinking
breakdown van - kraanwagen
breakfast - ontbijt
breast - borst
breath(less) - adem(loos)
bridge - overbruggen; brug
brief - kort, beknopt, vluchtig
bright - helder, licht
bring - (mee)brengen
broken - gebroken, kapot
brother - broer, broeder
brother-in-law - zwager
brown - bruin
bruise - blauwe plek
brush - poetsen, borstelen; borstel
bucket - emmer
buckle - gesp
build - bouwen
building - gebouw
burden - last , gewicht
burn - branden; brandwond
burnt - aangebrand, verbrand
bus (stop) - bus(halte)
bush - struik, geboomte
busy - druk, bezig, bezet
butcher - slager
butter - smeren; boter
buttermilk - karnemelk

button - knop, knoop
buy - kopen
buyer - koper
byroad - binnenweggetje

C

cabbage - kool
cabin - cabine, (stuur)hut
cabin cruiser - motorjacht
cable - kabel, draad, telegram
cake - cake, gebakje, koek, taart
calf - kalf, kuit(been)
call - (op)roep(en), noemen; telefoon-
    gesprek
camp fire - kampvuur
camp site - kampeerplaats
can - kunnen; blik(je)
canal - kanaal
candle(light) - kaars(licht)
canned - ingeblikt
canoe - kano
can opener - blikopener
cancel - afzeggen, afgelasten, annuleren
cap - pet, deksel, dop, kap
caption - onderschrift, bijschrift, opschrift
car - auto
cardigan - vest
card - kaart
cardboard - karton
care - zorg
care about - geven om iets/iemand
careful - voorzichtig
care of, take - zorgen voor
car park - parkeerterrein
carriage - rijtuig
carrot - wortel, peen
carry - dragen
carsick - wagenziek
cart - kar
case - zaak, geval, kist, doos
case of, in - in geval van
cash - incasseren, verzilveren; contant
    geld

cashier - kassier, kassa
cash register - kassa
castle - kasteel
casualty - slachtoffer, gewonde
cat - kat
catch - vangen, pakken; vangst
catching - aangrijpend, besmettelijk
cattle (grid) - vee(rooster)
cave - grot
celebrate - vieren
celebration - feest
cellar - kelder
cemetery - begraafplaats
central heating - centrale verwarming
centre - centrum, middelpunt
century - eeuw
certain - zeker
certificate - bewijs, diploma
chain - ketenen; ketting, keten
chair - stoel
chairman - voorzitter
chambermaid - kamermeisje
chamber of commerce - kamer van
    koophandel
chamois - zeem
chance - kans, gelegenheid
chance, by - toevallig
change - veranderen, wisselen, overstap-
    pen, omkleden, verandering; wisselgeld
change, small - kleingeld
channel - (t.v.-)kanaal
charcoal - houtskool
charge - belasten, in rekening brengen
charge of, be in - belast zijn met, de lei-
    ding hebben
cheap - goedkoop
cheat - bedriegen, oplichten; bedrog
check - controleren; controle
cheek - wang
cheer - juichen
cheerful - blij
cheers! - proost!

cheese - kaas
chess - schaken
chew - kauwen
chewing gum - kauwgom
chicken - kip(penvlees)
chief - hoofd
child - kind
chilly - kil, koud, fris
chin - kin
chippings - steenslag
choice - keuze
choose - kiezen
chop - hakken
Christian name - voornaam
church(yard) - kerk(hof)
cinema - bioscoop
city - stad
civil servant - ambtenaar
clean - schoonmaken, opruimen; schoon
clear - helder, duidelijk
cliff - klip, rots(punt)
cloakroom - garderobe
clock - klok (uurwerk)
clock, two o' - 2 uur (tijdstip)
cloister - kloostergang
close - (af)sluiten; dichtbij
close to - dicht bij
closed - gesloten, afgesloten
closet - (ingebouwde) kast
closing time - sluitingstijd
cloth - stof, lap, (zeil)doek, kleed
clothes - kleding, kleren
cloud(y) - (be)wolk(t)
clutch - vastpakken; koppeling
coach - reisbus, koets
coachwork - carrosserie
coast (guard) - kust(wacht)
coat - (lange) jas, mantel
coat hanger - klerenhanger
cobbler - schoenmaker
cockroach - kakkerlak
coffee - koffie

coin - munt
cold - koud, verkoudheid
collar - kraag
collect call - gesprek op kosten van
   de ander
collection - verzameling, buslichting
collector - verzamelaar
collector, ticket - (kaartjes)controleur
collision - botsing
colour - kleuren; kleur
column - pilaar, zuil, kolom
comb - kammen; kam
come - komen
comfortable - gemakkelijk, op zijn gemak
compartment - treincoupé
complain - klagen
complaint - klacht
compulsory - verplicht
concerning - betreffende, in verband met
concussion - hersenschudding
condition - toestand, voorwaarde
conditional - voorwaardelijk
confectionary - snoepgoed
congratulate - feliciteren
congratulations! - gefeliciteerd!
congregation - kerkgemeente
connection - verband, verbinding
constable - politieagent
contageous - besmettelijk
continue - voortzetten, voortduren,
   vervolgen
contraceptive - voorbehoedsmiddel
convent - klooster
cook - koken; kok(kin)
cooked - gekookt, gaar
cool - koelen; koel
cooled - gekoeld
copper - roodkoper
cork(screw) - kurk(entrekker)
corner - hoek
corridor - (door)gang
costume - costuum

cosy - gezellig, aangenaam
cot - kinderbedje
cotton - katoen
cotton wool - watje
couch - zitbank, divan
cough - hoesten; hoest
council - (gemeente)raad
counter - teller, toonbank, loket
country - land, platteland
country house - buitenhuis
countryside - platteland
couple - paar, koppel
couple of, a - een paar, een stuk of wat
course - loop, koers, gang (maaltijd)
course, of - natuurlijk
court - het hof maken; hof, gerecht,
  rechtbank
court(yard) - binnenplaats
cousin - neef, nicht
crack - barsten; barst
cradle - wieg, bakermat
crash - botsen, neerstorten; botsing,
  aanrijding
crate - kist, krat
cream, (whipped) - (slag)room
crevice - kloof
crooked - scheef, kwaadaardig
cross - kruisen, oversteken; kruis
crossing - kruispunt, oversteek(plaats)
cry - huilen, schreeuwen, roepen;
  (ge)roep, schreeuw
cub - welp, jong (roofdier)
cup - kop(je), beker
cupboard - (wand)kast
current - stroom, stroming, huidig
curtain - gordijn
curve - bocht
custom - gewoonte, traditie
customs - douane(rechten)
cut - snede
cut (off) - (af)snijden, afbreken, (af)knippen
cutlery - bestek

D

damage - beschadigen; schade, bescha-
  diging
damp - vochtig
dampproof - vochtwerend
dance - dansen; dans
dandruff - roos (haar)
danger(ous) - gevaar(lijk)
dare - durven, wagen
date - dateren; datum, afspraakje
  (informeel)
daughter - dochter
day - dag
day after tomorrow, the - overmorgen
dazzle - verblinden
dead - dood
dead-end street - doodlopende
  straat
deaf - doof
debt - schuld
deckchair - ligstoel
decoration - versiering, onderscheiding,
  schilderwerk
decrease - verminderen, afnemen
deep - diep
degree - graad
dehydrated - (uit)gedroogd
delay - vertragen; vertraging
deliver - bezorgen, afleveren
dentist - tandarts
dentures - kunstgebit
department - afdeling
department store - warenhuis
departure - vertrek, afvaart
depiction - voorstelling, afbeelding
deposit - storting, statiegeld
depth - diepte
descend - afdalen
desire - wensen, verlangen; wens,
  verlangen
desk - bureau, balie
desolate - verlaten, afgelegen

destination - bestemming
detain - in hechtenis houden
detergent - wasmiddel
detour - omweg
develop - ontwikkelen
deviate - afwijken
diet (food) - dieet(voeding)
different - verschillend, anders
difficult - moeilijk
dig - graven
digestion - spijsvertering
dinner - avondeten, diner
direction - richting
directions (for use) - (gebruiks)aanwijzing
dirty - vies, vuil, smerig
disabled - gehandicapt
discharge - ontslaan (plicht), lossen
discount - korting
discover - ontdekken
discuss - bespreken
dish - schotel, gerecht
dishes, do the - de afwas doen
dishonest - oneerlijk
disinfectant - ontsmettingsmiddel
dispatch - verzending
dispensing chemist - apotheek
distance - afstand
distant - ver(af), afstandelijk
distress - nood
ditch - sloot
dive - duiken
diversion - wegomlegging
division - afdeling, indeling
divorce - scheiden; scheiding
dizzy(ness) - duizelig(heid)
dog - hond
doll - pop
domestic - binnenlands
domestic animal - huisdier (vee)
done - gedaan, afgelopen, gaar
donkey - ezel
door(knob) - deur(knop)

doorkeeper/doorman - portier
double - verdubbelen; dubbel, tweepersoons
down - (naar) beneden, omlaag
downhill - bergafwaarts
downstairs - (naar) beneden (in een gebouw)
draught - tapbier, tocht
draw - tekenen, trekken; gelijkspel
drawback - nadeel
dress - (aan)kleden, verbinden (wond); jurk, costuum, dracht
drive - (auto)rijden, (be)sturen, voortstuwen; rit
driving license - rijbewijs
drum - trommel
dry - drogen; droog
dry cleaner's - stomerij
dull - saai, flets
duration - (tijds)duur
during - gedurende, tijdens
dust - stof, vuil
dust bin - prullenbak, vuilnisbak
Dutch - Nederlands

E

each - elk(e), ieder(e)
ear - oor
early - vroeg, aan het begin van
earth - aarde
earthenware - aardewerk
ease, at - op zijn gemak
east - oosten
easy - gemakkelijk, licht
eat - eten
economical - zuinig
edge - kant, rand
edible - eetbaar
egg, (hard/soft boiled) - (hard-/zacht-gekookt) ei
elbow - elleboog
elevator - lift
else(where) - (ergens) anders

emergency - nood, alarm, spoed
embark - inschepen, aan boord gaan
embassy - ambassade
employee - werknemer
employer - werkgever
empty - leegmaken; leeg
encounter - ontmoeting
end - beëindigen; (uit)einde
engagement - verbintenis, verloving
engine - motor, machine
engine trouble - motorpech
enjoy - genieten van, plezier hebben in
enlarge - vergroten
enough - genoeg
enroll - inschrijven
enter - binnenkomen, inschrijven
entire(ly) - geheel, helemaal
entrails - ingewanden
entrance - ingang
environment - omgeving, milieu
equal - gelijk
equipment - uitrusting
era - tijdperk
error - fout, vergissing
escalator - roltrap
escape - vluchten; vlucht
establish - vestigen
estate - onroerend goed, landgoed
estate agent - makelaar
even - zelfs, even (getal)
evening - avond
every - elke(e), ieder(e)
everybody/everyone - iedereen
exact - precies, nauwkeurig
exact money - gepast geld
excellent - voortreffelijk
except - uitzonderen; behalve, uitgezonderd
exchange - uitwisselen; beurs
exchange office - wisselkantoor
exhibition - tentoonstelling
exit - uitgang, afrit

expect - verwachten
expenses - onkosten
expensive - duur
expire - verlopen, aflopen
external - uitwendig
extinguish - blussen
eye - oog

F

fabric - stof, doek
face - uitzien op; gezicht
facing - tegenover
factory - fabriek
faint - flauwvallen; flauwte, zwak, flets
fall - vallen; val, herfst
family - gezin, familie
family name - achternaam
famous - beroemd
fancy - zin hebben in, zich inbeelden
far - ver
far from - allesbehalve
farm - boerderij
farmer - boer
fast - vasten; snel
fasten - vastmaken
fat - vet, dik
father(-in-law) - (schoon)vader
faulty - defect
favour(able) - gunst(ig)
fear - vrezen; angst
feather - veer
feel - voelen
feeling - gevoel
felt - vilt
felt-tip pen - viltstift
fence - hek
ferry - overvaren; veerpont
fetch - halen, pakken
fever - koorts
few - weinig
few, a - enkele
fiancé(e) - verloofde
field - veld, (vak)gebied

fierce - fel
file - dossier, vijl
fill (in) - (in)vullen
filling station - tankstation
find - vinden, van mening zijn, gaan zoeken
fine - boete geven; boete, fijn, goed, prettig
finished - af(gesloten), beëindigd, klaar
fire - vuren, ontslaan; vuur, brand
fire brigade - brandweer
firm - firma, bedrijf, flink, stevig, vast
first - eerst(e)
first-aid kit - verbandkist
first name - voornaam
fish (bone) - vis(graat)
fisherman - visser
fit - passen
fitting room - poskamer
fix - afspreken, vastleggen, regelen
fixed - afgesproken, vast
flame - vlam
Flanders - Vlaanderen
flag (pole) - vlag(genmast)
flask - veldfles
flat - plat, vlak
flea - vlo
Flemish - Vlaams
flight - vlucht
floor - vloer, grond, etage
floppy - slap
flour - bloem (meel)
flow - stromen, vloeien; stroom. vloed
flower - bloem
flue - griep
fluid - vloeistof
flush - (door)spoelen
fly - vliegen; vlieg, ritssluiting
flyover - viaduct
fog - mist
folk art - volkskunst
follow - volgen

food - voedsel, eten
foot - voet
footwear - schoeisel
force - kracht, geweld, macht
foreign - buitenlands
foreigner - buitenlander
forest - woud, bos
forget - vergeten
fork - vork, wegsplitsing
for rent/sale - te huur/koop
fortresss - vesting, fort
fountain - fontein
fountain pen - vulpen
fowl - gevogelte
fracture - breuk
fragrant - geurig
frame - kader, omlijsting, montuur, chassis
free - bevrijden; vrij, gratis
fresh - vers, fris
freshwater - zoetwater
fridge - koelkast
fried - gebakken, gebraden
friend - vriend
friendly - vriend(schapp)elijk, aardig
from - van, vanaf, vanuit
front - voorzijde
front of, in - vóór
frost - vorst
fry - bakken, braden
fuel - brandstof
fun - plezier
further - verder
fuse - stop, zekering

G

game - spel(letje), wedstrijd, wild (jacht)
garbage - afval
garden - tuin
garlic - knoflook
gash - snee
gate(way) - (toegangs)poort
gear - versnelling

general - algemeen, generaal
general practitioner - huisarts
generate - ontwikkelen, in gang zetten
gentleman (*mv* gentlemen) - heer
genuine - echt
German - Duits(er)
Germany - Duitsland
get - krijgen, pakken, ergens komen
get lost - verdwalen
get up - opstaan
gift - cadeau, geschenk
girl - meisje
give - geven
give (right of) way - voorrang verlenen
give way to - plaats maken voor
glad - blij
gladly - met plezier, graag
glance - blik, oogopslag
glass - glas
glasses - bril
glazy frost - ijzel
glue - lijmen; lijm
go - gaan
goat - geit
gold - goud(en)
gold-plated - verguld
gone - weg(gegaan), verdwenen
good - goed
goodbye! - dag! (afscheid)
good night! - welterusten!
goose (*mv* geese) - gans
gradually - langzamerhand
granddaughter/grandson - kleindochter/-
   zoon
grandfather/grandmother - grootvader/-
   moeder
grandparents - grootouders
grass - gras
gratitude - dank(baarheid)
graveyard - begraafplaats
grease - invetten, smeren; vet, smeer
green - groen, grasveld

greengrocer - groenteboer
grey - grijs
grilled - geroosterd
grocer - kruidenier
ground floor - begane grond
grounds - terrein, veld
ground sheet - grondzeil
guarantee - garantie
guard - bewaker, wachter, gardist
guarded - bewaakt
guest - gast
guesthouse - pension
guide - gids
guilty - schuldig

H

habit - gewoonte
Hague, The - Den Haag
hail - hagel
hair (spray) - haar(lak)
hairdresser - kapper
hairpin (bend) - haarspeld(bocht)
hall - gang, hal, zaal, landhuis
hammer - hamer
hand(bag) - hand(tasje)
handbrake - handrem
handicrafts - handwerk
handkerchief - zakdoek
handlebars - (fiets)stuur
hand over - overhandigen
hangover - kater
harbour - haven
hard - hard, moeilijk
hardly - nauwelijks
hard of hearing - slechthorend
harsh - ruw, hardhandig
harvest - oogst
happiness - blijdschap, vreugde, geluk
hassle - lastigvallen
hat - hoed
have - hebben
head - hoofd
heading - opschrift

health - gezondheid
Health Service, National - ziekenfonds
hear - horen
hearing aid - gehoorapparaat
heart - hart
heartburn - maagzuur
heat - hitte, warmte
heating - verwarming
heaven - hemel
heavy - zwaar, moeilijk
heel - hak, hiel
height - hoogte, lengte (persoon)
helm - stuur (schip)
helmet - helm
help - helpen; hulp
herbs - kruiden
here - hier
here you are - alstublieft (geven)
hide - verstoppen
high - hoog
highchair - kinderstoel
hike/hiking - (rond)trekken
hill - heuvel
hip - heup
hire - huren
hitchhiker - lifter
hold - (vast-/tegen)houden
hole - gat, kuil
holiday - feestdag, vakantietrip
Holiday, Bank - landelijke feestdag
holidays - vakantie, feestdagen
home - thuis, naar huis, tehuis
homework - huiswerk
honest - eerlijk
hook - haak
horn - hoorn, horen, claxon
horse (power) - paard(enkracht)
hose - slang, buis
hospitable - gastvrij
host/hostess - gastheer/gastvrouw
hot - heet, warm
hour - uur

house - huis
house agent - makelaar
household appliances - huishoudelijke artikelen
housekeeping - huishouding
housewife - huisvrouw
how - hoe
hungry - hongerig
hungry, be - honger hebben
hunt - jagen; jacht
hurry - zich haasten; haast
hurt - pijn doen, kwetsen; gewond, gekwetst
husband - echtgenoot

I

ice - ijs
ice cream - ijsje
icecubes - ijsblokjes
identity card/ID - legitimatiebewijs
ignition - ontsteking
ill(ness) - ziek(te)
image - beeld, voorstelling, imago
imitation - namaak
immediately - onmiddellijk, direct
impassable - onberijdbaar
impeccable - foutloos
implement - invoeren
impolite - onbeleefd
important - belangrijk
impossible - onmogelijk
included - inbegrepen
increase - toenemen
increasingly - steeds meer
indeed - inderdaad
indicate - aanduiden, aangeven
indicator - knipperlicht, aanwijsbord
indigenous - inheems, autochtoon
indoors - binnen
infectious - besmettelijk
inflammation - ontsteking, zwelling
inflate - oppompen, opblazen
inform - mededelen

informastion - inlichtingen
ink - inkt
injury - (ver)wond(ing), blessure
inlet - inham
innocent - onschuldig
inoculate - inenten
inquire - navragen
insipid - flauw, zouteloos
insist - aandringen
insufficient - onvoldoende
insurance (policy) - verzekering(spolis)
intention - bedoeling, plan
interest - belangstelling, rente
intermission - pauze
internal - inwendig
interpreter - tolk
interrupt - onderbreken
interval - tussenpoos
intestine - darm
introduce - invoeren, voorstellen, inleiden
introduction - inleiding, invoering, kennis-
    making
inside - binnen
iodene - jodium
iron - strijken; (strijk)ijzer
island - eiland
itch - jeuken

J

jack - krik, boer (kaartspel)
jacket - jasje
jar - pot, kruik
jaw - kaak
jelly - pudding
jellyfish - kwal
jetty - pier, steiger
jewel - juweel, sieraad
jolly - leuk
jot down - opschrijven, noteren
judge - oordelen; rechter
jug - kan, kruik
jump - springen; sprong
junction - kruising

just - net, zojuist, slechts, rechtvaardig
justice - (ge)recht

K

keep - houden, bewaren; kasteeltoren
key (hole) - sleutel(gat)
kick - schoppen; schop, trap, opwinding
kind - aardig, vriendelijk, soort
king - koning
kiss - kussen; kus
kitchen - keuken
knee(cap) - knie(schijf)
knickers - onderbroek
knife - mes
knob - knop
knock - kloppen
knot - knoop
know - weten, kennen
knowledge - kennis
known - bekend

L

lace - kant
lack - ontbreken
lady - dame
ladies' toilet - damestoilet
lake - meer
lamb - lam(svlees)
lame - mank
lamppost - lantaarnpaal
landscape - landschap
lane - laantje, pad, rijstrook, rijbaan
language - taal
last - duren; laatst(e), vorige
late - (te) laat, wijlen
later (on) - later, straks
latest - laatste (meest recente)
laugh - lachen
laughter - gelach
laundry - was(goed)
lavatory - toilet
law - wet
lawn - grasveld
lawyer - advocaat

lay (down) - (neer)leggen
layer - laag(je)
lazy - lui
leaf - blad (plant)
leak - lek
lean - leunen; mager
learn - leren, vernemen
lease - (ver)huren
leather - leer
leave - (ver)laten, vertrekken; verlof
left - links, linker-, (achter)gelaten
leg - been, ronde (sport)
lemon - citroen
lend - (uit)lenen
length - lengte, lap stof
lengthy - langdurig
less (than) - minder(dan)
lesser - minder, lager, van een mindere
   kwaliteit
lesson - les
let - laten, verhuren; gelaten, verhuurd
let, to - te huur
lethal - dodelijk
letter - letter, brief
lettuce - (krop)sla
level - niveau, vlak
level crossing - gelijkvloerse
   kruising/overweg
license - vergunning
lick - likken
lie - liggen, liegen; leugen
life - leven
life boat/jacket - reddingboot/vest
lift - optillen; lift
light - verlichten; licht
lighter - aansteker
lightning - bliksem
like - houden van, lusten, leuk vinden;
   zoals, net als
limp - slap, mank
line - lijn, streep
linen - linnen(goed)

liquid - vloeistof, vocht; vloeibaar
listen - luisteren
litter - afval weggooien; afval
little - klein, weinig, beetje
live - leven, wonen
load - laden; last, gewicht, lading
lobby - hal
lobster - (zee)kreeft
local - plaatselijk
locals - plaatselijke bevolking
location - plaats, plek
lock - sluiten, op slot doen; slot, sluis
look - kijken; (aan)blik
look after - zorgen voor
look at - kijken naar
look for - zoeken naar
look like - lijken op, er uitzien als
look out - uitkijken
loose - verliezen; los, wijd
lose - verliezen
loss - verlies
lost - verloren, kwijt, verdwaald
lost and found - gevonden voorwerpen
lot - hoeveelheid, kavel
lot of, a - een heleboel, veel
loud - luid, hard
louse (mv lice) - luis
love - liefhebben, houden van; (ge)liefde
lovely - heerlijk
low - laag, zachtjes
lower - omlaaghalen, laten zakken; lager
low-fat - mager, vetarm
low-salt - zoutarm
lubricant - smeermiddel
luggage (rack) - bagage(rek)
lukewarm - lauw
lump - klont(je)
lung - long

M

magazine - tijdschrift
magnificent - prachtig
mail - post

main - hoofd..., voornaamste
mainland - vasteland
make - maken, laten doen
male - mannelijk
man (*mv* men) - man, de mens
manual - met de hand, handleiding
many - veel, vele
many a - menig(e)
map - kaart
marble - marmer, knikker
marina - jachthaven
marine - van/in de zee, zee...
marriage - huwelijk
married - gehuwd
marry - trouwen
match - passen (bij); wedstrijd, lucifer
matchbox - lucifersdoosje
materney ward - kraamkliniek/-afdeling
mattress - matras
may - (zou) kunnen, mogen
maybe - misschien
mayor - burgemeester
meal - maaltijd
mean - betekenen, bedoelen; gemeen
meaning - betekenis, bedoelen, zin
mechanic - monteur, technicus
medicine - geneesmiddel, arts
meet - ontmoeten, tegenkomen, kennismaken met, vergaderen, bijeenkomen
meeting - vergadering, bijeenkomst
melon - meloen
mend - herstellen
message - boodschap, bericht
midnight - middernacht
milk - melk
mill - molen, fabriek
minced meat - gehakt
mirror - spiegel
missing - ontbrekend, vermist
mistake - fout, vergissing
misunderstanding - misverstand
mixed - gemengd, vermengd

mixed up - verward, in de war
moan - klagen, jammeren
moist(ure) - vocht
monastery - klooster
money - geld
monk - monnik
monkey - aap
month - maand
moped - bromfiets
more (than) - meer (dan)
morning - ochtend
morning, in the - 's morgens
mosquito - mug
mother(-in-law) - (schoon)moeder
motorcar - auto
motorway - autosnelweg
mountain (range) - berg(keten)
mountaineering - bergsport
mouse (*mv* mice) - muis
moustache - snor
mouth - mond(ing)
move - beweging; bewegen, verhuizen,
    voortmaken
much - veel
mud - modder
municipality - gemeente
muscle - spier
mushroom - paddestoel
music - muziek
must - moeten
mustard - mosterd

N

nail - nagel, spijker
nail polish - nagellak
naked - naakt, bloot
name - (be)noemen; naam
napkin/nappy - luier, servet
narrow - smal
nation - land, natie, volk
native - autochtoon, inheems
nauseous - misselijk
navy - marine

near - (na)bij, in de buurt van
nearby - dichtbij
nearly - bijna
neat - netjes, leuk
neck - nek, hals
necessary - nodig, noodzakelijk
need - moeten, nodig hebben; behoefte
needle - naald
needlework - handwerk
neighbour - buurman/-vrouw
nephew - neefje (oomzegger)
never - nooit, zelfs niet
newspaper - krant
newsstand - krantenkiosk
next - volgend(e)
next to - naast
nice - leuk, aardig, mooi
niece - nichtje (oomzegger)
night - nacht, late avond
night, at - 's nachts
nobody/no one - niemand
noise - lawaai
none - geen (enkele), niets
north - noord(en)
nose - neus
note - noteren; briefje, biljet, (muziek)noot
note pad - schrijfblok
nothing - niets
now - nu
number - nummer, aantal, getal, cijfer
nun - non
nurse - verpleegster
nut - moer, noot(je)

O

oars - roeiriemen
objection - bezwaar, protest
obligatory - verplicht
occupation - beroep, bezigheid
odd - oneven, vreemd
odour - geur
off - weg van, ter hoogte van, bedorven,
  afgelast

offer - (aan)bieden; aanbieding, bod
office - kantoor
officer - officier, agent, beambte
often - vaak, dikwijls
oil - olie
ointment - zalf
old - oud
once - eens, een keer, zodra
once, at - ineens, direct, dadelijk
one - één, men
oneself - (zich)zelf
one-way street - straat met eenrichting-
  verkeer
one-way ticket - enkele reis
onion - ui
only - alleen, slechts, pas
opponent - tegenstander
opposite - tegenover, tegengesteld
oral - mondeling, met/door de mond
orange - oranje, sinaasappel
orchard - boomgaard
order - bestellen, bevelen; bestelling,
  bevel, (volg)orde
order, out of - buiten werking,
  defect
other - ander(e)
outdoor(s) - buiten
outside - buiten
over here - hier
overtake - inhalen
over there - daarginds
owe - verschuldigd zijn
own - bezitten; eigen
owner - eigenaar

P

pain(less) - pijn(loos)
painstaking - moeizaam
paint - schilderen, verven; verf
painting - schilderij
pale - bleek
pan(cake) - pan(nenkoek)
paper - papier, krant

paralysed - verlamd
parcel - pakket
parents - ouders
parking disc/meter - parkeerschijf/-meter
part - stuk, deel, onderdeel, toneelrol
party - feestvieren; partij, feest, groep
pass - voorbijgaan, overhandigen, door-
geven; pas
passage - doorgang, overtocht
past - verleden, voorbij
past, in the - vroeger, in het verleden
pastime - liefhebberij
pastry - gebakje
path - pad
patience - geduld
pavement - stoep
pay - betalen, afrekenen
pearl - parel
peasant - boer
peg - klerenhanger, tentharing
pencil - potlood
people - mensen, volk
pepper - peper
performance - voorstelling, opvoering,
optreden
perfume - parfum
permit - toestaan; toestemming, vergunning
pet - huisdier
pet shop - dierenwinkel
petrol (station) - benzine(station)
phone - opbellen; telefoon
physical (education) - lichamelijk(e
opvoeding)
picture - foto, afbeelding, schilderij
pie - pastei
piece - stuk
pillow - kussen
pin - vastprikken; speld
pipe - pijp, buis
plain - vlakte, vlak
plant - plant, fabriek

plaster - pleister
plate - bord
play - spelen; spel, toneelstuk
pleasant - plezierig, aangenaam
please - een plezier doen; alstublieft
pleased - blij, aangenaam
pleasure - plezier, genoegen
plug - stekker, afvoerstop
point - wijzen; punt, plek
point out - aanwijzen, duidelijk maken
poison - vergif
pole - paal, lange stok
polish - poetsen; poetsmiddel
police(man) - politie(agent)
police station - politiebureau
poor - arm, armzalig, slecht
population - bevolking
pocket - (broek-/jas)zak
pocket knife - zakmes
pork - varken(svlees)
port - haven(stad)
possible - mogelijk
post - paal
postcard - ansichtkaart
potato - aardappel
poultry - gevogelte
pour - inschenken
powder - poder
power - macht, sterkte
pram - kinderwagen
prefer - liever hebben, de voorkeur
geven aan
pregnant - zwanger
prescription - voorschrift, doktersrecept
present - aanbieden; cadeau, huidig,
aanwezig
present, at - tegenwoordig
press - drukken. persen; pers
pressure - druk
price - (kost)prijs
print - drukken; afdruk
prize - prijs (beloning)

proceed - verdergaan, doorgaan
profession - beroep
prohibited - verboden
prolongation - verlenging
promise - beloven; belofte
proof - bewijs, bestand tegen
property - eigendom
propose - voorstellen
prove - bewijzen
pull - (aan)trekken
pump - pompen; pomp
puncture - lekke band
pure - zuiver
purse - portemonnee
put - leggen, zetten, doen

Q

quality - kwaliteit, hoedanigheid
quarrel - ruziemaken; ruzie
quarry - groeve
quarter - kwart, kwartier, wijk
quay - kade
queen - koningin
quench - blussen
question - vraag
quick - snel, vlug
quiet - stil, rustig, stilte

R

rabies - hondsdolheid
rag - doek, lapje
rags - vodden
railway - spoorweg
railway ticket - spoorkaartje
rain (coat) - regen(jas)
rampart - vestingwal
rare - zeldzaam, licht gebakken (vlees)
rate - koers, tarief, termijn
raw - rauw, ruw
razor blade - scheermesje
read - lezen
ready - klaar, gereed
real - echt
real estate - onroerend goed

rear (side) - achter(kant)
reason - rede, reden
receipt - ontvangstbewijs, kwitantie
receive - ontvangen
recipe - (kook)recept
recently - onlangs
recommend - aanbevelen
record - opnemen, verslag doen; record, verslag, grammofoonplaat
recover - herstellen, beter worden
red - rood
reduce - verminderen, afnemen
reel - spoel, klos
refrigerator - koelkast
refuge - weigeren; schuilplaats
refugee - vluchteling
refund - teruggave, restitutie
register - inschrijven, aantekenen; register
registered (mail) - aangetekend(e post)
related to - familie van
release - loslaten, op de markt brengen
reliable - betrouwbaar
relief - vermindering, opluchting
relieve - verlichten, ontlasten
remote - achteraf, afgelegen, van een afstand
rent - (ver)huren; huur
rented car - huurauto
repair - herstellen, repareren
repeat - herhalen
represent - vertegenwoordigen, voorstellen
request - verzoeken; verzoek
require - vereisen, nodig hebben
research - onderzoeken; onderzoek
residence - verblijf(plaats), woning, woonplaats
responsible - verantwoordelijk
rest - (uit)rusten, resteren; rust, restant
return - terugkeren, teruggeven; terug- keer, teruggave

return ticket - retourtje

ribbon - lint

rice - rijst

rich - rijk

ride - rijden (fiets, dier, bus); rit

ride, give a - lift geven

right - recht, rechts, rechter-, juist

right, to be - gelijk hebben

right of way - voorrang

right on - nu meteen

rim - rand

ring - (op)bellen; ring, kring,
 cirkel

rip - scheuren; scheur

ripe - rijp

rise - opstaan, opkomen

risk - riskeren; risico

river - rivier

road - weg

road patrol - wegenwacht

roadside - berm, kant van de weg

roast -braden, roosteren

rob - bestelen

robber - dief

rock - schudden; rots(blok)

roll - rollen; rol, broodje

room - kamer, ruimte

root - wortel, oorsprong

rope - touw, lijn

rose - roos

rotten - rot

rough - ruw, hardhandig

round - rond(om), ronde

row - roeien; rij

rub - wrijven

rucksack - rugzak

rudder - roer

rude - onbeleefd, ongemanierd

run - lopen, rennen, stromen; ren, loop,
 termijn

rural - landelijk (van het platteland)

rust - roesten; roest

s

saddle - zadel

safe - veilig, brandkast

safety (belt) - veiligheid(sgordel)

sail - zeilen, varen; zeil

sale - verkoop , opruiming

salt - zout

same - zelfde

sand - zand

sandwich - boterham

sanitary towel - maandverband

satisfaction - tevredenheid, genoeg-
 doening, bevrediging

sauce - saus

sausage - worst

save - sparen, bewaren, redden

savoury - hartig

say - zeggen

scarf - sjaal

schedule - schema, plan, dienstregeling

scissors, (pair of) - schaar

scoop - schep

screw - (vast)schroeven; schroef

screw driver - schroevendraaier

sea(sick) - zee(ziek)

seal - zegel, stempel, zeehond

search - zoeken, fouilleren

seat - stoel, (zit)plaats, zetel

second - seconde, tweede

security - beveiliging, veiligheid,
 bewaking

see - zien; zetel

seed - zaad

seldom - zelden

sell - verkopen

send - zenden, (ver)sturen

sender - afzender

sense - zin(tuig)

sense, make - logisch zijn, zin hebben

sensible - verstandig

sensitive - gevoelig

sentence - veroordelen; zin, vonnis

serve - bedienen, serveren
service - bediening, technische nazorg, dienst
settled - gevestigd, afgesproken
sewer - riolering
shack - hut, gehouwtje
shadow - schaduw
shallow - ondiep
shape - vormen; vorm
share - delen; (aan)deel
shark - haai
sharp - scherp, fel
shave - scheren
sheep - schaap, schapen
sheet - vel, blad, laken
shelf - plank
shell - schelp
shelter - schuilplaats
shine - schijnen, poetsen
ship - verschepen, versturen; schip
shirt - overhemd
shoe(string) - schoen(veter)
shop - winkelen; winkel
shopping, go - boodschappen doen
short - kort
shortage - tekort
short circuit - kortsluiting
short-cut - kortere route
short of, be - tekort komen
shorts - korte broek
shoulder - schouder, berm
show - tonen, laten zien; voorstelling
shower - douche, regenbui
sick - misselijk, ziek
side - kant, zijde, elftal
sieve - zeven; zeef
sigh - zuchten; zucht
sign - ondertekenen; teken, bordje
significant - belangrijk, zinvol
signature - handtekening
signpost(ed) - (be)wegwijzer(d)
sight - gezicht(svermogen), het zien van

sights - bezienswaardigheden
silk - zijde(n)
silver - zilver(en)
similar - gelijk, identiek, zelfde
simple - eenvoudig
simultaneously - gelijktijdig
since - vanaf, sinds
single - alleen, enkel(e reis), ongehuwd
single room - eenpersoonskamer
singlet - onderhemd
sister(-in-law) - (schoon)zuster
sit - zitten
size - grootte, maat, formaat
skid - slippen
skilful - handig, bekwaam
skin - huid, vel
skirt - rok
sky - hemel, lucht
slaughter - (af)slachten
sleep - slapen; slaap
sleeping bag - slaapzak
sleeve - mouw, boekomslag
slice - plakje, sneetje
slide - glijden; dia
slightly - licht, enigszins
slim - slank
slippery - glad
slope - helling
slow - langzaam
slow down - afremmen, vaart minderen
slow train - stoptrein
small - klein
smell - geuren, ruiken, stinken; geur, reuk, stank
smoke - roken; rook
smooth - glad, probleemloos, zacht
snail - slak
snake - slang
sneeze - niezen
snow - sneeuwen; sneeuw
soap - zeep
sock - sok

socket - stopcontact
soft - zacht, zwak
soft drink - frisdrank
soil - aarde, grond, bodem
sole - enige (unieke), zool
solid - massief
sour - zuur
some - enige, enkele, sommige
somebody/someone - iemand
sometimes - soms
somewhat - enigszins, iets
somewhere (else) - ergens (anders)
son(-in-law) - (schoon)zoon
soon - gauw, binnenkort, spoedig
sore - zeer, pijnlijk
sound - klinken; geluid, gezond, zeestraat
soup - soep
south - zuid(en)
spare parts - reserveonderdelen
spark - vonk
speed - snelheid
spell - spellen; betovering
spicy - pittig, hartig
spider - spin
spire - (toren)spits
spit - spuwen
splendid - prachtig
sponge - spons
spoon - lepel
spot - plek, puist, vlek
spray - sproeien, spuiten; spuitmiddel
spring(time) - lente
square - plein, vierkant, saai
stable - stal, stabiel
stage - toneel, fase
stain - vlek
stairs, (flight of) - trap
stamp - stempelen, frankeren; stempel, (post)zegel
stand - staan; kraampje, tribune, staan-plaats
stationary - schrijfwaren

statue - (stand)beeld
stay - (ver)blijven, logeren; verblijf
steal - stelen
steel - staal
steep - steil
steeple - stompe kerktoren
steering wheel - autostuur
stick - plakken, kleven; stok, staaf
stiff - stijf
still - nog steeds, nochtans
stockings - kousen
stomach - maag
stone - steen
store - opslaan, stallen; winkel, opslag-plaats, stalling
stove - kachel
strange - vreemd, raar
stranger - vreemdeling
street(lamp) - straat(lantaarn)
straight (on) - recht(door)
string - draad, snoer
striped - gestreept
strong - sterk
study - (be)studeren, leren; studeerkamer
stuffed - gevuld, opgezet
stuffy - benauwd
suddenly - plotseling
suffer(ing) - lijden
sugar - suiker
suggest - voorstellen
suit - passen, van pas komen; kostuum
suitcase - koffer
summer - zomer
summit - top
sun(bathing) - zon(nebaden)
sunburn - zonnebrand
sunglasses - zonnebril
supper - laat avondeten
suppose - veronderstellen, aannemen
surcharge - toeslag
sure - zeker
surgery - spreekkamer, chirurgie

surgery (hours) - spreekuur
surname - achternaam
surprise - verrassing
surrender - zich overgeven
surroundings - omgeving
suspense - spanning (opwinding)
swallow - inslikken, opslokken, innemen
swamp - moeras
sway - slingeren
sweat - zweten; zweet
sweater - trui
sweep - vegen
sweet - zoet, lief
sweetener - zoetstof
sweets - snoep, zoet dessert
swim - zwemmen
swimsuit - badpak
switch - (over)schakelen; knop, schakelaar

T

table - tafel, tabel
table cloth - tafelkleed
tack - spijker
tag - kaartje
tail - staart
tailback - file
take - (in)nemen, pakken, wegbrengen
take care of - zorgen voor, op zich nemen
take notice - nota nemen
tall - hoog, lang, groot
tame - temmen; tam, mak
tanned - gebruind
tap - (water)kraan
taste - proeven, smaken; smaak
tasty - lekker, smakelijk
taxi rank - taxistandplaats
tea - thee
teach - (iemand iets) leren, onderwijzen
teacher - leraar, onderwijzer
tear - scheuren, (uiteen)trekken; scheur, traan
teaspoon - (thee)lepeltje

teeth - tanden, kiezen
telephone booth - telefooncel
telephone directory - telefoonboek
temporary - tijdelijk
tension - spanning
tent peg - tentharing
tepid - lauw
terminus - eindpunt
terrible - verschrikkelijk
thank - (be)danken
that - dat, die
theft - diefstal
therefore - daarom
these - deze (mv)
thick - dik
thief - dief
thin - dun
thing - ding
think - denken, vinden (mening)
thirst - dorst
thirsty, be - dorst hebben
this - dit, deze
those - die (mv)
thought - gedachte
thread - draad, garen
thrilling - spannend
throat - keel
through - door(gaand)
through, we are - het is uit tussen ons
thread - draad
thunderstorm - onweersbui
ticket - kaartje, biljet, bekeuring
ticket collector - conducteur
tide - getij(de)
tidy - opruimen; netjes, schoon
tie - vastbinden; band, stropdas
tight - strak
tights - panty, maillot
tile - tegel
time - tijd
timetable - dienstregeling, spoorboekje
tin - blik, bus, trommel

tip - puntje, fooi
tired - moe
tired of, be - (iets) zat zijn, genoeg hebben van
toadstool - paddestoel
tobacco(nist) - tabak(swinkel)
today - vandaag
toe - teen
together - samen, bij elkaar
tomorrow - morgen
tongs - tang
tongue - tong
tongue, mother - moedertaal
too - ook, eveneens, te
too much - teveel
tool(s) - gereedschap, hulpmiddel
tooth (*mv* teeth) - tand, kies
toothache - kiespijn
tooth brush - tandenborstel
tooth paste - tandpasta
top - bovenkant, top, deksel
top (of), on - bovenop
torch - zaklantaarn, fakkel
touch - aanraken; aanraking, gevoel, zweem
touchdown - landing (vliegtuig)
tough - taai, sterk, lastig
tour - rondreizen; rondrit
tow - slepen
tow away zone - wegsleepzone
towel - handdoek
tower - toren
town (hall) - stad(huis)
toxic - gif(tig)
toy(s) - speelgoed
trade - handel, handelsonderneming, vak
traffic - verkeer
traffic jam - opstopping
traffic warden - parkeerpolitie
trailer - aanhangwagen, vrachtwagen met aanhanger

train - trein
transfer - overstappen, (o)verplaatsen, overmaken (geld); overstap, (o)verplaatsing
translate - vertalen
trap - val
travel - reizen
travel agent - reisbureau
travel guide - reisgids
treatment - behandeling
tree - boom
trial - rechtszaak
trip - reis
tripod - statief (driepoot)
trolley - bagage-/winkelwagentje
trouble - lastigvallen; pech, probleem
trouble, be in - in de problemen zitten
trousers - lange broek
true - waar, echt
trunk call - interlokaal gesprek
trunks - (zwem)broek
truth - waarheid
try - proberen, trachten, proeven
try on - passen (kleding)
tube - buis, fietsband, metro
tune - (af)stemmen; liedje
turn - draaien, keren; draai, beurt
turn around - (zich) omdraaien
turn aside - uitwijken
turn away - wegdraaien, weglopen
twins - tweeling
tyre - (auto)band

U

ugly - lelijk
ulcer - zweer
umbrella - paraplu
unattended - onbewaakt, alleen gelaten
unconscious - bewusteloos
under - onder
underground - omdergronds(e)
underneath - onder
underpants - onderbroek